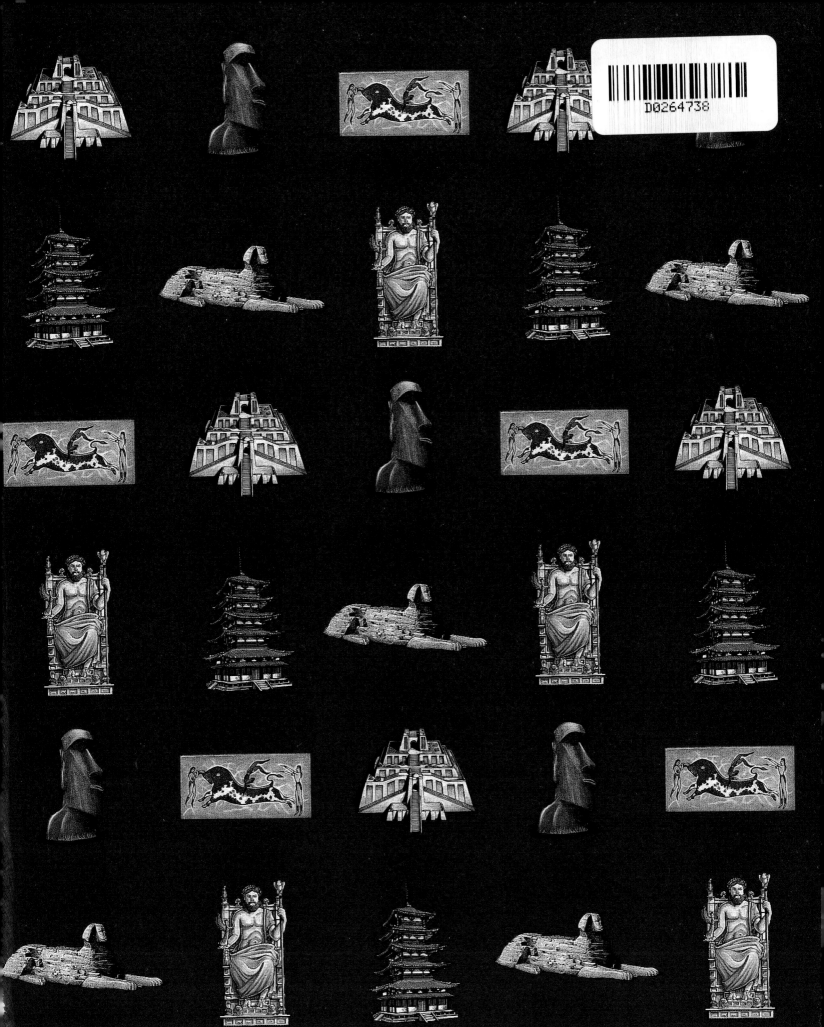

LES MERVEILLES DU MONDE

Texte original de Tim Wood
Adaptation française de Jean-Pierre Dauliac

GRÜND

REMERCIEMENTS

Les Éditeurs remercient Bill Donohue et Jonathan Adams, pour les illustrations des transparents, Jonathan Adams, qui a signé la couverture, et les personnes et organismes qui ont autorisé la reproduction des illustrations suivantes :

Ancient Art & Architecture Collection : 11 en bas à droite, 15 en bas à droite, 23 en haut à droite, 26 en haut à droite, 33 en bas à droite, 38 au centre à gauche, 45 en bas à droite.
Bruce Coleman Ltd : Herbert Kranawetter 33 en haut à droite.
C. M. Dixon : 4 en haut à gauche, 6 en haut à gauche, 7 en haut à droite, 10 en haut à gauche, 16 en haut à gauche, 19 en haut à gauche, 26 en haut à gauche, 27 en haut à droite, 28 en haut à gauche, 31 en haut à droite, 41 en bas à droite.
Corbis : 7 en bas à droite. e. t. archive : 22 en haut à gauche.
Louvre - Photo Giraddon, Paris : 18 en haut à gauche, 29 en haut à droite.
Mansell Collection : 15 au centre, 19 en haut à droite.
Peter Clayton : 20 en haut à gauche, 21 en haut à gauche.
Planet Earth Pictures : 5 en bas à droite, 39 en bas à droite.
Magnum : F. Mayer, 24 au centre ; Cornel Capa, 34 en haut à droite ; Harry Gruyaert, 36 en haut à droite ; B. Barbey 43 en bas à droite.
Robert Estall Photo Library : 12 en haut à droite.
Robert Harding Picture Library : Rolf Richardson 25 au centre, 42 en haut à droite.
Sonia Halliday : 22 en haut à droite. Superstock : 35 en haut à droite.
Tony Stone Images : Tom Till 37 en haut.
Werner Forman Archive : Ohio State Museum 35 en bas à gauche, Museum of the American Indian, Heye Foundation, New York 35 en bas à droite, 42 en haut à gauche, 44 en haut à droite.
ZEFA : K. Kerth 30 en haut à gauche, 32 en haut à gauche.

Illustrateurs

Jonathan Adams : couverture, icônes, 15, 21 28 au centre, 44-45.
Terry Gabbey (Associated Freelance Artists) : 10-11, 12-13, 20, 30, 31, 36, 38, 39.
Richard Hook : 46-47.
Bill Le Fever : 18-19, 22-23, 32-33, 42.
Kevin Madison : 5,37.
Angus McBride (Linden Artists) : page de titre, 4, 6, 7, 14, 26, 27, 28-29, 34, 43.

Éditeur : Alyson Jones
Conception graphique : Nick Avery
Iconographie : Gill Metcalfe
Contrôleur de production : Lorraine Stebbing

GARANTIE DE L'ÉDITEUR

Malgré tous les soins apportés à sa fabrication, il est malheureusement possible
que cet ouvrage comporte un défaut d'impression ou de façonnage.
Dans ce cas, il vous sera échangé sans frais.
Veuillez à cet effet le rapporter au libraire qui vous l'a vendu
ou nous écrire à l'adresse ci-dessous
en nous précisant la nature du défaut constaté.
Dans l'un ou l'autre cas, il sera immédiatement fait droit à votre réclamation.

Librairie Gründ - 60, rue Mazarine - 75006 Paris

Adaptation française de Jean-Pierre Dauliac
Texte original de Tim Wood
Secrétariat d'édition : Nathalie Toillon

Première édition française 1997 par Librairie Gründ, Paris
© 1997 Librairie Gründ pour l'édition française
ISBN : 2-7000-5073-8
Dépôt légal : mars 1997
Édition originale 1997 par Heinemann Children's Reference,
département de Reed Educational and Professional Publishing Ltd,
sous le titre : *Ancient Wonders*
© 1997 Reed Educational and Professional Publishing Ltd

Photocomposition en Goudy et Century par L'Union Linotypiste, Paris
Imprimé en Italie

Loi nº 49-956 du 16 juillet 1949 sur les publications destinées à la jeunesse.

SOMMAIRE

Les mots suivis d'un astérisque sont expliqués dans le glossaire page 47.

LES MERVEILLES DU MONDE

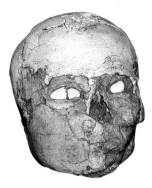

Ce crâne, trouvé à Jéricho, a été orné de coquillages et de morceaux de glaise pour imiter les traits du défunt.

Jéricho fut probablement la plus ancienne ville fortifiée du monde. La cité s'enrichit par le commerce et ses habitants édifièrent, pour se protéger, de puissantes murailles faites de briques de terre fabriquées manuellement et séchées au soleil.

Il y a deux mille ans, les Grecs et les Romains visitaient déjà en touristes, comme de nos jours, les sites les plus célèbres du monde connu. Les écrivains de l'Antiquité identifièrent les édifices les plus spectaculaires et les baptisèrent les Sept Merveilles du monde. Certaines merveilles présentées dans ce livre ne figuraient pas sur cette liste simplement parce qu'elles avaient déjà disparu ou n'étaient pas encore édifiées. Depuis ces temps anciens nombreuses sont ces constructions qui ont été détruites. Néanmoins, les archéologues et les historiens ont contribué à la reconstruction de nombreux sites oubliés.

PREMIÈRES HABITATIONS

Les premiers hommes étaient des chasseurs et des nomades et les groupes humains ne devinrent sédentaires qu'avec l'application des premières techniques d'agriculture. Ils purent ainsi cultiver leurs champs et surveiller leurs récoltes en permanence. Comprenant que l'union fait la force, les hommes se regroupèrent en tribus. La merveille la plus ancienne est probablement la cité de Jéricho. Il s'agit sans doute également de la première construction fortifiée du monde qui remonte à environ 8000 av. J.-C. La cité s'enrichit grâce au commerce du sel et ses habitants édifièrent de grands murs pour se protéger et défendre leurs richesses. Ces murs étaient parmi les plus anciens systèmes de défense construits dans le monde.

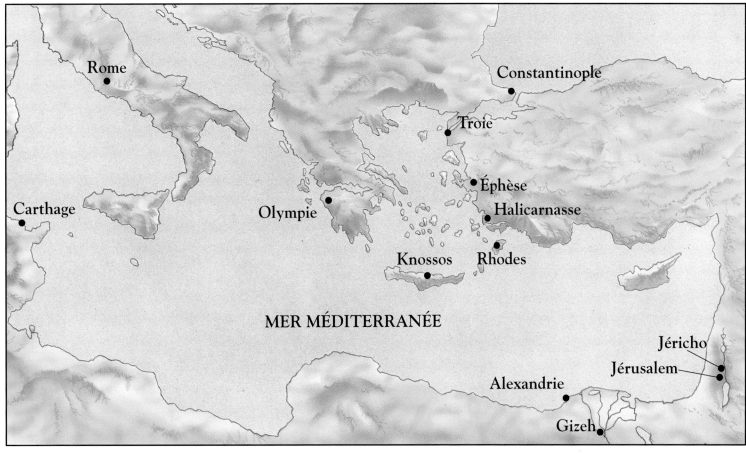

La plupart des merveilles de l'Antiquité furent édifiées par les Égyptiens, les Grecs et les Romains. La carte ci-dessus présente les principaux sites de ces merveilles. Celle ci-contre montre l'emplacement des autres merveilles décrites dans cet ouvrage et situées dans d'autres parties du monde.

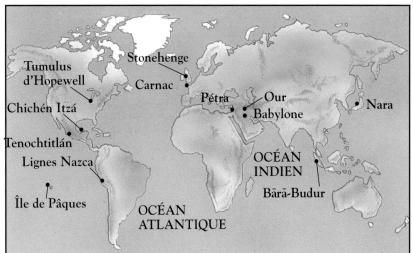

POURQUOI CES MERVEILLES ?

Beaucoup de gouvernants ordonnèrent et financèrent la création de monuments et de constructions. Ils voulaient ainsi affirmer leur pouvoir, inspirer le respect à leurs sujets et faire peur à leurs ennemis. Les religieux voulaient des temples plus grands et plus beaux pour montrer que leurs dieux étaient plus puissants et plus généreux que ceux des petites cités. Le peuple participait à l'édification de monuments et de temples pour s'attirer, par des offrandes, les faveurs des dieux qui les protégeaient.

CURIOSITÉS ANTIQUES

Ces monuments firent naître des artisans qui créèrent des éléments décoratifs de plus en plus beaux pour orner les palais et les temples. Ils apprirent à sculpter des statues plus réalistes et inventèrent des techniques pour colorer briques et tuiles. Très tôt, on voyagea pour voir ces merveilles du monde.

Un bloc de sel de la mer Morte. Le sel jouait un rôle important dans l'Antiquité pour la conservation des aliments. Les habitants de Jéricho récoltaient facilement le sel de la mer Morte pour le troquer avec d'autres peuples. Ce fut là l'origine de la richesse de la cité.

LES ZIGGOURATS SACRÉES

Ce casque d'or, appartenant probablement à un roi, fut découvert avec une dague dorée à Our. Il se présente sous la forme d'une tête humaine avec des cheveux coiffés en chignon.

*L*es ziggourats ou hautes pyramides à degrés, entièrement construites en briques, ornèrent de nombreuses cités de Mésopotamie (actuellement en Irak). Celle d'Our fut édifiée autour de l'an 2100 av. J.-C. La plupart étaient couronnées d'un temple ou d'un autel où les prêtres pratiquaient le culte des dieux de la cité.

LE PAYS ENTRE LES FLEUVES

Mésopotamie signifie *pays entre les fleuves*. La région est baignée par le Tigre et l'Euphrate, qui fertilisent la plaine qui les sépare. Les premiers habitants construisirent un système compliqué de canaux et de fossés afin d'irriguer les terres cultivables. Lorsque les Mésopotamiens devinrent mieux organisés, ils établirent des cités sur les rives des fleuves. Chaque cité eut son roi et adora ses propres dieux.

LES DIEUX DE MÉSOPOTAMIE

Les dieux des Mésopotamiens représentaient les puissantes forces naturelles qui gouvernent la vie des hommes. Parmi eux, Ana, le dieu du ciel, qui faisait pleuvoir et Enlil, le dieu des vents.

Le culte des dieux était pratiqué dans chaque ville sur de grands espaces sacrés entourés de murs. Chaque enceinte comportait une ziggourat généralement coiffée d'un temple ou d'un autel où s'exerçait le culte du dieu principal.

Prêtres préparant un repas pour les dieux à la ziggourat d'Our. Les plus grandes ziggourats avaient environ 90 m de côté et 46 m de hauteur. La plupart des ziggourats, comme les autres grandes constructions de Mésopotamie furent édifiées par des esclaves.

À l'origine, un scribe* mésopotamien grava des formes au moyen d'une pointe enfoncée dans l'argile humide. Avec le temps, cette méthode de marquage se transforma en écriture cunéiforme (en forme de coins).

Chaque cité de Mésopotamie avait son roi. Ces chefs se battaient souvent pour contrôler l'approvisionnement en eau et pour s'emparer d'un butin. Les scribes rédigeaient l'inventaire des richesses en creusant des marques en forme de coin sur des tablettes d'argile, inventant ainsi les premières formes d'écriture.*

LES ZIGGOURATS

La plus ancienne ziggourat fut celle d'Eridou, construite vers l'an 5000 av. J.-C. Les ziggourats étaient des édifices pleins, sans espaces intérieurs. Personne ne peut dire pourquoi les ziggourats ont cette forme, toutefois, il est vraisemblable que les Mésopotamiens les considéraient comme des autels et comme des degrés montant vers les dieux. Construites par des esclaves, les plus grandes ziggourats mesuraient plus de 45 m de haut.

À LA RECHERCHE DES DIEUX

Les prêtres voulaient que les dieux résidassent dans leur cité. Aussi encourageaient-ils les habitants à prier et à faire des offrandes de nourriture. Nous savons que dans la cité d'Ourouk, les dieux réclamaient chaque jour l'offrande de 250 pains, plus de 1 000 gâteaux de dattes, 50 moutons, 8 agneaux, 2 bœufs et un veau !

Les dieux possédaient aussi des terres que géraient les prêtres en collectant les impôts divins. Pour garder trace de la richesse des dieux, on inventa l'écriture en formant dans des tablettes d'argile des marques en forme de coin : c'est l'écriture dite cunéiforme. Des milliers de tablettes gravées ont survécu jusqu'à nos jours.

LES MURS DE BRIQUES

La Mésopotamie était pauvre en pierres de construction car il existait peu de site naturel. C'est pour cette raison que les ziggourats furent édifiées presque entièrement en briques de terre glaise travaillée à l'eau et mélangée de paille hachée. Le matériau coulé dans des moules en bois était laissé au soleil ou cuit dans des fours. Certaines briques étaient enduites d'une substance noire, le bitume*, qui les protégeait de l'eau. Des milliers d'années plus tard, les briques ont été détruites par les intempéries. Il reste aujourd'hui peu de chose des grands monuments mésopotamiens, sinon quelques tas de terre desséchée.

Certains rois de Mésopotamie s'enrichirent énormément par leurs conquêtes. Ils possédaient de magnifiques objets, comme cette lyre ornée d'une tête de taureau en or. Les rois et reines de Mésopotamie étaient inhumés avec leurs biens personnels préférés. Des trésors fabuleux en or, argent et bronze ont été découverts dans les sépultures royales d'Our.

LES PYRAMIDES D'ÉGYPTE

Cette scène illustre la construction de la grande pyramide de Gizeh. Sur cette page, des ouvriers hissent des blocs de pierre le long d'une rampe, à l'aide de cordes et de rondins de bois. En soulevant le film transparent, vous verrez des bâtisseurs ajouter des blocs de parement en calcaire poli pour achever la pyramide.

La pyramide la plus connue est la grande pyramide de Gizeh. C'est la tombe du roi Khéops. Sa construction débuta vers 2550 av. J.-C. et plusieurs milliers de travailleurs mirent vingt ans à la terminer.

LA GRANDE PYRAMIDE

Sa construction coûta très cher ; ainsi la seule dépense de nourriture des travailleurs est estimée à 160 talents* d'argent (40 millions de francs). La pyramide est faite de 2 300 000 blocs de calcaire jaune pesant chacun au moins 2,5 tonnes. Atteignant à l'origine 146,6 m de hauteur, elle restera le plus haut édifice du monde jusqu'à la fin du XIXᵉ siècle.

LA DÉCOUPE DES BLOCS

Nous savons que les pierres des pyramides provenaient de carrières ouvertes sur la rive opposée du Nil. Les énormes blocs étaient découpés au moyen de coins de bois enfoncés dans des fentes de la pierre, puis humectés d'eau. Le gonflement du bois faisait éclater la roche. Des traces de cette technique sont encore visibles dans d'anciennes carrières.

Pour polir la pierre tendre, on utilisait des ciseaux de cuivre et des marteaux de pierre. Les blocs qui venaient par bateaux, étaient traînés, sur une allée tracée entre le fleuve et le site, à l'aide de rouleaux ou de patins de bois.

1   chambre funéraire du pharaon
2   conduits de ventilation de la chambre
3   pierres bloquant l'accès à la chambre
4   chambres funéraires inachevées
5   galeries d'évacuation dés ouvriers

LE TRANSPORT DES PIERRES

Certains archéologues pensent que les blocs de pierre étaient tirés sur des rampes géantes jusqu'à leur emplacement final. Il fallut probablement plusieurs rampes successives ou une rampe tournante comme sur le dessin de la vue transparente à gauche. Mais des rampes de cette importance auraient demandé trois fois le volume de pierre de la pyramide elle-même. Nous ignorons aussi ce que devenaient ces matériaux après l'achèvement de la pyramide.

UNE ŒUVRE BRILLANTE

À la fin, les faces extérieures à degrés de la Grande Pyramide étaient aplanies par des blocs de calcaire polis dont la blancheur brillait au soleil du désert. Enfin, le sommet était recouvert d'une coiffe d'or.

DEIR EL-BAHARI

L'illustration ci-dessous montre la tombe du pharaon Montouhotpou II à Deir el-Bahari. Elle était constituée d'un temple funéraire et d'une pyramide, formant un seul bâtiment sculpté dans une falaise rocheuse. Elle fut achevée vers 2010 av. J.-C., plus de 500 ans après la construction de la dernière pyramide de Gizeh. On accédait toujours à une tombe par une allée. Celle de Montouhotpou II mesurait 46 m de large. Il existait aussi une large rampe menant au temple ; la pyramide centrale était entourée de vastes terrasses soutenues par des rangées de colonnes formant des allées. Le toit de la plus grande terrasse était supporté par 140 colonnes. Le corps du pharaon était placé dans une chambre funéraire creusée dans la falaise et accessible par un souterrain.

Plus de 500 ans après l'achèvement de la dernière pyramide de Gizeh, la sépulture royale illustrée ici fut édifiée à Deir-el-Bahari pour le pharaon Montouhotpou II. Des arbres furent plantés devant la tombe où l'on parvenait par une chaussée et une large rampe. En tournant le transparent, on peut voir l'intérieur du temple dont la pyramide centrale et la chambre funéraire excavée dans le rocher. On atteignait cette chambre par un souterrain.

6 dalles lisses de parement
7 pyramide centrale
8 lit de roches donnant la pente
9 rampe
10 colonnades
11 passage souterrain
12 chambre funéraire du pharaon

LES TOMBES ROYALES

Pendentif en or provenant de la tombe de Toutankhamon. Ces trésors attiraient les voleurs qui pillaient les sépultures royales.

*L*es historiens, comme Hérodote, croyaient que les pyramides étaient construites par des esclaves. En réalité, lorsque se produisait la crue annuelle du Nil, les activités des paysans étaient moins importantes et certains d'entre eux préféraient travailler aux pyramides plutôt que de payer l'impôt. Comme les Égyptiens croyaient que leur pharaon était un dieu, construire une pyramide était un acte d'adoration.

Les Égyptiens considéraient le pharaon comme un dieu. Il était donc inhumé en grande pompe et son corps était embaumé pour le préserver. Le cercueil était conduit en cortège funéraire jusqu'au bateau qui le transportait ensuite le long du fleuve sacré, le Nil.

« Khéops monta sur le trône et multiplia les actions odieuses. Il fit fermer les temples et força les Égyptiens à travailler pour lui. Certains furent contraints de traîner les blocs depuis les carrières jusqu'au Nil... »

— *Hérodote* —

LES TOMBES ROYALES

Les temples étaient érigés au pied des pyramides. C'est là que les prêtres organisaient des cérémonies sacrées en hommage aux pharaons défunts. Autour du site de Gizeh (voir pp. 46-47) des tombeaux et des pyramides plus petits abritaient les corps des membres de la famille royale. Des allées reliaient les temples funéraires au Nil en facilitant le passage du cortège entre le fleuve et le temple.

Les corridors et les chambres funéraires étaient construits en premier sous les pyramides. Les artistes commençaient la décoration des parois en sculptant et en peignant tant que ces parties étaient encore éclairées par la lumière du jour. Ils terminaient à la lueur des torches après achèvement du toit.

LES FUNÉRAILLES ROYALES

Les Égyptiens croyaient que les pyramides étaient des lieux où les morts voyageaient vers une existence nouvelle. À la mort d'un pharaon, la plus grande partie de ses biens les plus précieux était inhumée avec lui. Mais ces richesses enterrées attiraient les voleurs qui violaient les sépultures et s'emparaient de nombreux trésors. Par la suite, les Égyptiens cessèrent de construire des pyramides et enterrèrent leurs pharaons dans une vallée encaissée appelée la Vallée des Rois qu'ils croyaient, à tort, plus facile à protéger.

LE GRAND SPHINX

Auprès des pyramides de Gizeh se trouve un des plus grands mystères de l'ancienne Égypte, le Grand Sphinx (p. 10 en haut à droite). Cette statue colossale représentant un lion à tête humaine, peut-être celle du pharaon Khéphren, a 73 m de long et 20 m de haut. La statue, sculptée dans un énorme bloc de calcaire, a été, au cours de sa longue histoire, recouverte de pierres taillées et sculptées ou enterrée dans le sable jusqu'au cou. On ignore la date de la construction de cette mystérieuse créature qui n'est peut-être que la gardienne des pyramides.

La photo de droite montre le sarcophage ayant accueilli la dépouille de Toutankhamon, seul pharaon dont la tombe a été découverte intacte dans La Vallée des Rois.

Ci-dessous : ces coupes montrent la disposition des corridors et des chambres dans les trois pyramides de Gizeh, ainsi que les passages et les chambres funéraires situés en dessous.

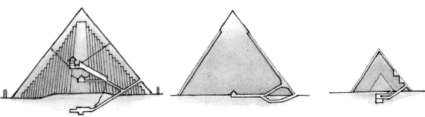

Grande pyramide de Khéops   Pyramide de Khéphren   Pyramide de Mykerinus

LES MÉGALITHES

Les monuments mégalithiques furent érigés à l'époque des premiers établissements d'agriculteurs sédentaires en Europe, il y a environ 6 000 ans. Les premiers monuments furent des tombeaux, mais les buts exacts de ces structures construites après 3200 av. J.-C. se sont perdus dans la nuit des temps.

LES MÉGALITHES DE L'ÂGE DE LA PIERRE

Les premiers monuments de l'âge de la pierre sont appelés mégalithes*, du grec *méga*, grand, et *lithos*, pierre. Les pierres dressées isolément sont appelées menhirs. Les pierres posées à plat sur d'autres sont des dolmens (voir en haut à droite).

LES ALIGNEMENTS DE CARNAC

L'un des plus grands sites mégalithiques du monde se trouve en Bretagne, à Carnac. Il rassemble plus de 3 000 menhirs et dolmens préhistoriques. Certaines pierres mesurent jusqu'à 6 m de hauteur. Elles forment de longs alignements de blocs dressés verticalement dont certains contiennent jusqu'à 13 rangées de pierres sur une largeur de 100 m. Les alignements s'étendent sur 4 km. Parmi les alignements de menhirs, on trouve des autels, des cercles de pierres et des tombeaux mégalithiques.

LE SOLEIL ET LES ÉTOILES

La construction du site de Carnac débuta vers 3000 av. J.-C., fut érigé sur une période de 1 000 ans. On ignore pourquoi et par qui il a été créé. Cependant, les archéologues supposent que chaque pierre représentait un ancêtre défunt ou que ces pierres servaient à mesurer les mouvements du Soleil et des étoiles.

LE SITE DE STONEHENGE

Certains monuments mégalithiques sont disposés soit en rang appelés cromlechs* ou soit en cercle. On compte plus de 1 000 cercles mégalithiques en Grande-Bretagne. Le plus vaste, Stonehenge, servit de lieu de cérémonie ou de culte vers 3300 av. J.-C.

LES FOSSES D'AUBREY

Les premiers constructeurs entourèrent le site de Stonehenge d'un fossé et d'un remblai circulaires. À l'intérieur du fossé, on trouve 56 fosses en cercle, appelées fosses d'Aubrey, d'après le nom de celui qui les découvit au XVIIe siècle. Elles servaient à inhumer des corps calcinés, peut-être des victimes de sacrifices humains. À l'extérieur de l'entrée, les constructeurs placèrent un énorme menhir et une barrière de bois.

LE CERCLE DE PIERRES

Vers 2800 av. J.-C., les peuples du Néolithique construisirent une allée, dite l'« Avenue », menant à l'entrée. Un double cercle de menhirs fut érigé à l'intérieur du premier cercle. Ces menhirs venaient des montagnes de Preseli, au sud-ouest du pays de Galles. Il fallut probablement les traîner avant de les charger sur des radeaux pour traverser le canal de Bristol, une tâche impliquant des milliers de travailleurs. Vers 2000 av. J.-C., on y ajouta un cercle de trente pierres dressées, puis un ensemble de cinq portes formées de trois pierres fut construit à l'intérieur de ce cercle.

Les énormes pierres de Stonehenge ont pu être déplacées au moyen de cordages et de rouleaux. Le système d'encordement aurait pu servir à relever les blocs à la verticale.

UN CALENDRIER GÉANT

La dimension et la configuration précise de Stonehenge montrent l'importance du site. Une ligne imaginaire tracée à travers le double cercle et selon l'axe de l'Avenue indique la direction du Soleil levant au solstice* d'été. Certains historiens pensent que Stonehenge avait un rapport avec le culte du Soleil, d'autres qu'il s'agit d'un calendrier géant de l'Âge de la pierre* prédisant les mouvements du Soleil et des étoiles. En raison de l'usure du temps et des restaurations, on ne connaîtra sans doute jamais la vraie raison de sa création.

De nombreux monuments mégalithiques, dont Stonehenge, ont pu servir d'observatoires pour étudier les mouvements du Soleil et des étoiles. La capacité de prédire les saisons de l'année était sans doute très importante pour les peuples de la préhistoire qui dépendaient, pour leur survie, de l'agriculture.

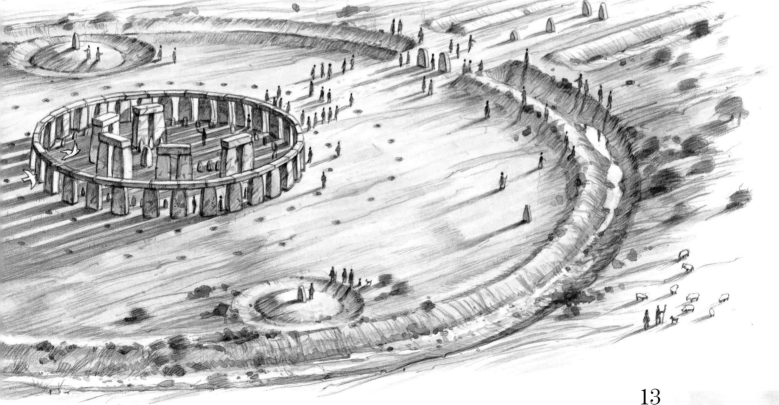

LA CITÉ DE TROIE

La légende de l'antique Troie est l'histoire merveilleuse d'une reine enlevée, de combats de héros célèbres et de conflits entre les dieux qui se termine par le récit d'une ruse des plus astucieuses. Pendant des siècles, les lettrés ont cru qu'il s'agissait d'une grande histoire racontée par le poète grec aveugle Homère. Un homme, Heinrich Schliemann, a consacré sa vie à démontrer que les merveilles de Troie étaient vraies.

LA LÉGENDE DE TROIE

La cité et la légende de Troie ont été décrites il y a plus de 3 000 ans par l'écrivain de la Grèce antique, Homère, dans un long poème intitulé l'*Iliade*. Cette œuvre raconte comment la « belle Hélène » fut enlevée par le prince de Troie, Pâris.

On ignore si le cheval de Troie a réellement existé et à quoi il ressemblait. D'après la légende, le cheval devait être très grand car il fallut démolir partiellement la porte pour le faire entrer dans la cité de Troie.

« Neuf, tel est le nombre des années où nous devrons combattre à Troie et, dans la dixième, ses grandes avenues seront nôtres... Soldats et compatriotes, je compte sur vous pour tenir le terrain jusqu'à ce que nous prenions la vaste cité de Priam. »

— Homère : l'Iliade —

Le mari d'Hélène, Ménélas, et son frère, le roi Agamemnon, levèrent une armée grecque pour attaquer Troie et sauver Hélène. Pendant dix ans, la guerre fit rage. Homère décrit les grands actes de bravoure des héros comme Hector et Achille. Finalement, Ulysse, roi d'Ithaque, eut l'idée d'un plan étonnant destiné à tromper les Troyens afin que les Grecs puissent s'emparer de la ville.

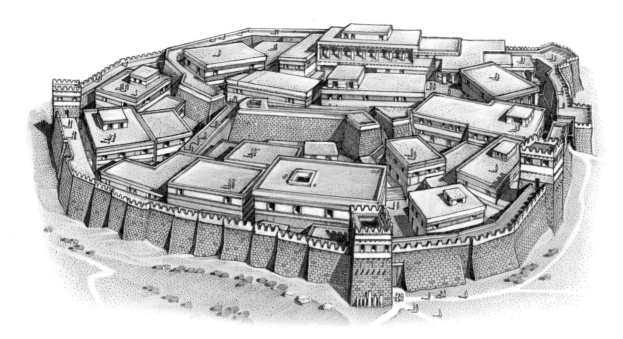

UN CHEVAL GÉANT

Les Grecs construisirent un énorme cheval de bois et firent semblant de lever le siège. Les Troyens sortirent, s'emparèrent du cheval et le traînèrent à l'intérieur de leur cité. Alors que les Troyens festoyaient pour célébrer leur victoire, les soldats grecs, cachés dans le cheval, sortirent et ouvrirent les portes de la ville. L'armée grecque, revenue à la nuit tombée, prit la ville et la détruisit.

Portrait de Mme Schliemann portant une tiare et un collier d'or trouvés à Troie. Schliemann était si convaincu que Hisarlik était l'antique Troie qu'il aurait pu fabriquer quelques preuves afin de le démontrer.

LA TROIE DE SCHLIEMANN

Homère, qui s'exprima bien longtemps après la guerre de Troie, décrivit la ville comme une place forte bâtie sur une colline et entourée de murailles et de hautes tours.

En 1870, quelques savants crurent que l'emplacement de Troie se trouvait sur une butte appelée Hisarlik en Turquie. Un riche négociant allemand, Heinrich Schliemann, décida de vérifier cette théorie. Archéologue amateur, Schliemann exécuta des fouilles entre 1870 et 1890 avec davantage d'enthousiasme que d'habileté. Les archéologues actuels estiment que Schliemann a détruit par maladresse ou incompétence un grand nombre d'indices importants.

LES TRÉSORS DE TROIE

Heinrich Schliemann et les archéologues qui lui succèdent ne découvrirent pas une cité de Troie, mais neuf ! Chacune d'elles fut bâtie sur les ruines d'une plus ancienne. Certaines villes ont été détruites par le feu et une, peut-être, par un séisme. Aujourd'hui encore, les archéologues ne sont pas certains d'avoir bien identifié la ville de Troie décrite par le poète Homère dans l'*Iliade*. Mais ils peuvent affirmer que les premiers habitants s'établirent là vers 3000 av. J.-C. Jusqu'à 1100 environ av. J.-C., Troie fut une place forte, puis une cité jusqu'à ce que la dernière ville tombât en ruines vers 400 apr. J.-C. Dans les ruines d'Hisarlik, le riche négociant allemand découvrit des bijoux d'or et d'ivoire ornés de joyaux. Certaines pièces semblèrent trop belles et Schliemann fut accusé de les avoir enfouies lui-même. Aujourd'hui, personne ne sait s'il a vraiment découvert le trésor de Priam, roi de Troie.

15

LE PALAIS DE KNOSSOS

La première civilisation européenne se développa sur l'île de Crète, il y a environ 4 000 ans. Les rois de Crète qui s'enrichirent par le commerce, affirmèrent leur prospérité en construisant de magnifiques palais. Celui de Knossos fut le plus grand. Il abritait le roi Minos et, selon la légende, le Minotaure, une créature mi-homme, mi-taureau qui résidait dans un labyrinthe près du palais.

Statue de la déesse des serpents trouvée à Knossos. Cette divinité symbolisait peut-être la nature.

1   saut de taureau dans la cour
2   chambres du Roi
3   salle des colonnes
4   peintures murales
5   magasins et salles
6   ateliers
7   bibliothèque

LES PALAIS MINOENS

Au début de l'Âge du bronze*, les navires crétois dominaient le commerce entre l'Afrique, l'Asie et l'Europe. La majeure partie des échanges transitaient par la Crète et les rois crétois firent bâtir d'immenses palais qui servaient aussi d'entrepôts de marchandises. Ces palais devinrent des centres de distribution de denrées alimentaires et de luxe au profit des populations crétoises. Ils abritaient aussi des artisans qui travaillaient les métaux précieux et produisaient de superbes objets.

LE ROI MINOS

Le palais le plus grand est situé à Knossos. Selon la légende, il fut construit par le roi Minos, le plus grand des souverains crétois. Mais Minos n'est peut-être qu'un personnage mythique et son nom, un titre porté par tous les rois de Crète.

KNOSSOS

Les appartements royaux étaient richement décorés de fresques murales. La majeure partie du rez-de-chaussée était occupée par des entrepôts remplis de casiers, de jarres et d'amphores géantes appelées *pithoi* contenant des grains, du vin ou de l'huile d'olive. Des tablettes de pierre servant à tenir la comptabilité du palais semblent indiquer que ces entrepôts nourrissaient plus de 4000 personnes.

LE CULTE DU TAUREAU

Le palais est aussi le site de cérémonies rituelles et religieuses. Il se peut que des exercices de saut de taureaux ont pu avoir lieu dans ses cours intérieures. Le culte crétois du taureau est peut-être semblable à l'adoration par les Grecs du dieu de la mer : Poséidon était vu sous les traits d'un taureau dont les sabots faisaient trembler la terre. Les Crétois avaient toutes les raisons de craindre les séismes, car, vers 1700 av. J.-C., un tremblement de terre endommagea gravement les palais de l'île. En 1450 av. J.-C., un volcan de l'île de Théra (Santorin), à environ 100 km de la Crète, entra en éruption. Les cendres brûlantes incendièrent le palais de Knossos et le raz-de-marée coula de nombreux navires. Ainsi disparut la puissance crétoise.

À l'apogée de la puissance minoenne, le palais de Knossos avait cinq niveaux et comportait plus de 1 300 pièces. En tournant la vue transparente, on peut contempler les intérieurs de certaines pièces. Les murs du palais étaient recouverts de fresques dont celle du saut du taureau (p. 16 en haut à droite). Les taureaux étaient adorés par les Minoens et des sauts de taureaux avaient lieu dans les cours de Knossos avec des jeunes gens.

17

LES JARDINS DE BABYLONE

Cette tablette de pierre porte quelques-unes des plus anciennes lois édictées par le roi Hammourabi qui régna sur Babylone de 1792 à 1750 av. J-C. Beaucoup de ces préceptes, comme « œil pour œil dent pour dent », réapparurent dans l'Ancien Testament.

Les Babyloniens avaient su aménager et irriguer* des terrasses cultivables. Celles des jardins suspendus auraient été situées en pleine ville et couvertes de végétations.

Babylone (de Bab-Ilou, la « Porte du dieu Ilou ») a existé pendant près de 4 500 ans. À l'origine cité de Mésopotamie, Babylone devint ensuite le centre d'un immense empire. Conquise à plusieurs reprises, elle renaissait chaque fois de ses cendres pour devenir plus grande encore. À l'apogée de sa puissance, Babylone fut le site légendaire d'une des merveilles du monde antique : les jardins suspendus.

LES JARDINS SUSPENDUS

Selon la légende, Nabuchodonosor II, qui régna sur Babylone de 605 à 562 av. J.-C., construisit les jardins suspendus à côté de son palais pour l'une de ses épouses fille du roi des Mèdes. Celle-ci regrettait les montagnes de son pays natal et son époux fit bâtir ces fabuleux jardins pour les lui rappeler.

Ces jardins se présentaient, d'après la légende, sous la forme d'une gigantesque ziggourat constamment irriguée par le fleuve Euphrate.

L'eau coulait dans des canaux jusqu'au pied des arbres et des plantes qui débordaient des murailles. Babylone était aussi entourée de systèmes d'irrigation complexes afin de fertiliser les terres adjacentes.

Malheureusement, il n'existe aucune certitude sur la réalité de ces jardins suspendus. Des visiteurs émerveillés par ces réalisations ont peut-être raconté avec exagération ce qu'ils ont vu et la légende est née peu à peu de ces récits.

LES AUTRES MERVEILLES

Babylone, l'une des plus grandes cités du monde à cette époque, était défendue par trois énormes murailles. Ces murs, construits en briques protégées des eaux par du bitume*, mesuraient 27 m de haut. Chaque mur entourait totalement la ville sur un périmètre d'environ 18 km. Les parois étaient richement décorées de briques et de carreaux émaillés multicolores et, d'après la légende, deux chars pouvaient circuler de front au sommet sans difficulté. Les murs étaient percés d'énormes portes et défendus par de grosses tours carrées hautes de plus de 30 mètres.

18

On estime à 575 le nombre de dragons et de taurillons en briques émaillées ornant la porte d'Ishtar. Certaines murailles étaient décorées de lions en carreaux émaillés (p. 18 en haut à droite).

« ...la cité et la tour construites par les fils des hommes... est... appelée Babel ; et Dieu fit parler à tous les hommes des langages différents sur toute la Terre ; et depuis, Dieu les dispersa sur toute la surface de la Terre. »

— Genèse 11 —

LA TOUR DE BABEL

La cité de Babylone était divisée en deux parties séparées par le fleuve Euphrate. La vieille ville, sur la rive orientale, était dominée par une ziggourat à sept étages, appelée le temple de Mardouk. Mardouk (divinité agraire) était le plus important des dieux de Babylone mais également le patron de la ville. Cette énorme structure était peut-être ce que la Bible décrit comme la « tour de Babel ».

Célèbre tableau des Jardins suspendus par Charles Sheldon. Les scientifiques ont calculé depuis que les Babyloniens ne pouvaient pas irriguer* une ziggourat de cette importance.

Dans la Bible, la tour de Babel sert à expliquer l'existence des différents langages utilisés dans le monde. Selon la Genèse, les habitants de Babylone érigèrent cette tour par orgueil pour tenter d'atteindre les cieux. Irrité, Dieu fit parler aux hommes des langues différentes pour que ceux-ci ne se comprennent plus et les dispersa sur la Terre. Ainsi la tour demeura inachevée.

LA PORTE D'ISHTAR

Une chaussée dallée, ornée de briques recouvertes d'émail bleu, partait du temple de Mardouk en direction du nord. Des murs décorés en relief* d'animaux en terre cuite émaillée bordaient cette route qui traversait la porte d'Ishtar (déesse de la fécondité) mesurant 15 m de hauteur et ornée de taureaux géants, symbole du dieu de la foudre, de dragons et de lions rampants.

19

ALEXANDRIE

Pièce de monnaie représentant le phare d'Alexandrie et prouvant à l'évidence l'existence du phare. Son aspect exact reste inconnu et il subsiste diverses interprétations quant à son apparence réelle.

Édifié sur une base carrée, le phare atteignait au moins 120 m de haut. Construit en marbre ou calcaire, son architecture immense fut copiée par la suite par les Romains. Il fit du port d'Alexandrie un des refuges les plus sûrs du monde antique.

L a ville égyptienne d'Alexandrie fut fondée en 332 av. J.-C. par Alexandre III le Grand, roi de Macédoine. Trop occupé par sa conquête du Moyen-Orient, il passa peu de temps dans sa nouvelle cité. Au temps des gouverneurs grecs, les Ptolémées, Alexandrie devint le centre culturel et scientifique du monde antique. Deux des plus célèbres édifices du monde y furent construits, faisant d'Alexandrie un important pôle touristique : la grande bibliothèque et le premier phare.

LE PHARE

Le phare maritime fut érigé sur l'île de Pharos (d'où le nom de la construction) en 280 av. J.-C. Cette construction à trois niveaux de 120 m de hauteur environ était connue comme l'une des Sept Merveilles du monde antique.

Elle fut construite certainement en marbre ou en calcaire. L'ensemble reposait sur une base carrée. Le premier niveau, carré également, contenait probablement les habitations du personnel du phare. Le deuxième niveau était octogonal et enfin le troisième, portant le feu de balisage, était de forme circulaire.

Cette mosaïque de la cathédrale Saint-Marc de Venise, montre le saint arrivant à Alexandrie, guidé par la lumière de Pharos. Le phare est montré avec beaucoup de détails dont la porte d'entrée.

UN PORT ACCUEILLANT

À l'intérieur, une rampe et un simple monte-charge servaient à transporter le combustible au sommet de la tour. Un feu ouvert émettait de la lumière que des miroirs ou des réflecteurs métalliques captaient et dirigeaient peut-être vers la mer. Les Romains copièrent ce système pour établir un réseau d'installations semblables dans d'autres ports méditerranéens.

LA BIBLIOTHÈQUE

La bibliothèque fut fondée sous le règne du pharaon Ptolémée Ier (323-283 av. J.-C.). Il était collectionneur fanatique de livres et rassembla environ 200 000 ouvrages, pour la plupart sous forme de rouleaux. Son fils, Ptolémée II, poursuivit sa tâche en envoyant ses bibliothécaires dans tout le monde antique pour recueillir les œuvres les plus importantes. Une équipe de lettrés traduisit les livres étrangers en grec. La bibliothèque aurait possédé jusqu'à 500 000 ouvrages.

PTOLÉMÉE III

Ptolémée III, qui régna de 247 à 222 av. J.-C., fut encore plus avide de recueillir des livres. Tout visiteur arrivant à Alexandrie devait remettre les manuscrits en sa possession pour qu'ils soient traduits. Les ouvrages nouveaux étaient confisqués et leur propriétaire ne recevait en échange qu'une copie sommaire. Le pharaon réussit à convaincre le gouvernement d'Athènes de lui prêter les manuscrits originaux des pièces de Sophocle et d'Euripide. Il donna une grande quantité d'or aux Athéniens en garantie, puis refusa de leur retourner les manuscrits et renvoya à la place de mauvaises copies.

LE MUSÉE

Ptolémée II qui régna de 283 à 247 av. J.-C. érigea un grand musée dans la ville d'Alexandrie qui devint un important centre de recherches et d'études. L'historien-géographe grec Strabon décrivit le musée comme un immense complexe de bâtiments comportant des salles de lecture et des réfectoires reliés par des passages couverts. Le musée et la bibliothèque étaient gérés par des religieux.

Les savants, dont les poètes grecs Apollonios et Théocrite et le mathématicien Euclide étaient salariés du gouvernement. À un certain moment, la bibliothèque principale fut réservée aux seuls savants du musée. Les visiteurs durent se contenter d'une bibliothèque secondaire dans le temple de Sérapis.

LE DÉCLIN D'ALEXANDRIE

Si Alexandrie fut florissante sous le gouvernement des Grecs, l'Égypte perdit beaucoup de son importance sous les Romains et la cité déclina. Les premiers chrétiens, effrayés par ce qu'ils appelaient « les idées païennes » contenues dans les livres détruisirent la majeure partie des manuscrits en incendiant la grande bibliothèque en 391 apr. J.-C.

Le phare d'Alexandrie fut détruit par un tremblement de terre en 1302. Le site du phare a été recouvert par le fort islamique de Kait Bey construit au XVe siècle.

La cité d'Alexandrie offrait un excellent port naturellement abrité. Une courte chaussée menant à l'île de Pharos permettait aux convois d'ânes de ravitailler la lampe en combustible. Tracée sur un plan quadrillé, la cité d'Alexandre le Grand contenait plusieurs autres bâtiments importants comme le temple de Sérapis, le temple de Poséidon, un mausolée (sépulture) et un théâtre.

LE TEMPLE DE SALOMON

*I*l y a trois mille ans, les tribus constituant le peuple hébreux furent réunies en un seul royaume par le roi David. Il fit de Jérusalem, cité neutre n'appartenant en propre à aucune tribu, sa capitale. Vers 972 av. J.-C., le fils de David, Salomon, devint roi et régna jusqu'à sa mort en 922.

LA JÉRUSALEM DE SALOMON

Salomon fit alliance avec les Égyptiens et les Phéniciens. Délivré des menaces d'invasion, il transforma Jérusalem en dépensant une partie de sa fortune dans l'édification de vastes bâtiments dont un palais royal et un temple. Ce dernier, qui devait abriter pour toujours l'Arche d'alliance* devint aussi le premier centre permanent de la religion juive pratiquée par les Hébreux.

La Bible décrit ainsi les gardiens ailés de l'Arche : « …deux chérubins en bois d'olivier hauts chacun de 10 coudées… recouverts d'or » semblables à ces sculptures assyriennes du VIIIᵉ siècle av. J.-C.

L'aspect exact de l'Arche d'alliance reste un mystère. Cette sculpture de pierre (ci-dessus) datant de près de 1 700 ans, la montre comme un coffre orné garni de roues. L'illustration du temple de Salomon (ci-dessous) a été réalisé d'après les détails donnés par la Bible.*

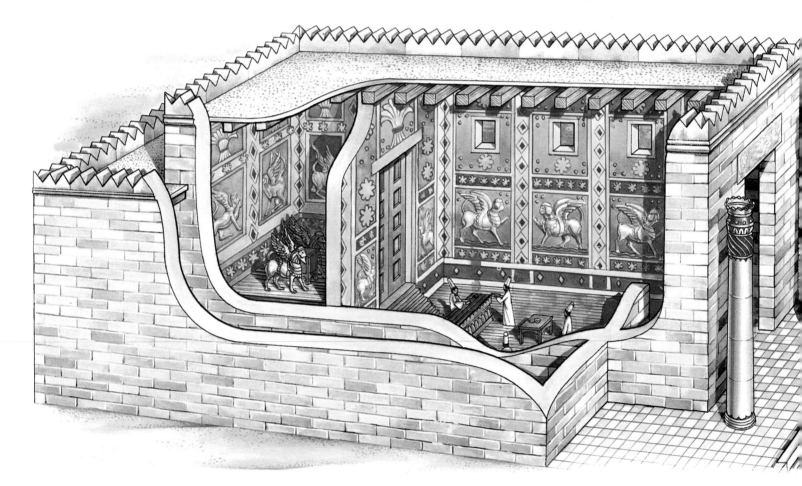

LES RÉFÉRENCES BIBLIQUES

Le temple érigé par Salomon est décrit en détail dans le Ier livre des rois de la Bible. Nous connaissons ainsi la forme et les dimensions du temple comme les matériaux employés dans sa construction.

Le temple s'élevait sur une vaste place voisine du palais de Salomon. À l'extérieur du temple, se trouvait un grand autel où se consumaient les offrandes. À proximité, une énorme vasque de bronze, appelée *la mer en fusion*, reposant sur le dos de douze bœufs en bronze, devait servir aux ablutions rituelles.

« Et le bâtiment… fut construit en pierres précisément taillées avant l'assemblage ; si bien qu'on n'entendit, pendant la construction du temple, aucun bruit de marteau, d'herminette, ni de ciseau de fer. »

— Ier livre des rois 6-7 —

LE TEMPLE DE SALOMON

Le temple fut construit en calcaire blanc. C'était un simple rectangle d'environ 54 m de long, 30 m de large et 15 m de haut. Du côté est se trouvait un vaste portique. De gros piliers de bronze encadraient l'entrée principale. À l'intérieur les murs et le plafond de la pièce principale était garnie de boiseries en cèdre et le plancher en cyprès. Des figures sculptées représentant des chérubins, des palmiers et des fleurs décoraient les murs. De petites ouvertures carrées placées en haut du bâtiment laissaient pénétrer des rais de lumière. Les seuls meubles étaient une petite table et l'autel des parfums (encens).

LE SAINT DES SAINTS

À l'extrémité ouest du temple, le Saint des Saints était le lieu le plus sacré du monde hébraïque. Seul le grand prêtre pouvait franchir la porte en bois d'olivier et pénétrer dans cette pièce sans ouverture une seule fois par an, car l'Arche d'alliance* y était enfermée.

L'ARCHE D'ALLIANCE

L'Arche d'alliance était un coffre de bois renfermant les Dix Commandements inscrits sur des tablettes de pierre, que les ancêtres des Hébreux, probablement des éleveurs nomades de Mésopotamie, avaient conservés. Contrairement aux autres peuples, ils ne croyaient qu'en un seul Dieu appelé Javeh. Ils célébraient son culte sous une tente appelée le tabernacle qui contenait aussi la précieuse Arche.

Le temple de Salomon devint la résidence permanente de l'Arche.

L'IMPORTANCE DU TEMPLE

Des milliers d'Hébreux se rassemblaient dans la cité toute l'année pour aller au Temple au moment des fêtes les plus importantes. Avec ses grandes portes recouvertes d'or, il devint le symbole de la puissance et de la confiance du royaume de Salomon.

Il resta debout pendant 800 ans jusqu'à sa destruction par les Romains en l'an 70, lorsque les armées de Titus envahirent Jérusalem et pillèrent ses trésors.

L'arc de Titus, construit sur le forum de Rome, est orné de sculptures montrant les combats de l'empereur contre les Hébreux. C'est l'armée de Titus qui prit Jérusalem et détruisit le Temple de Salomon. On voit ici des soldats enlevant le chandelier d'or à sept branches, le memorah, utilisé dans les grandes cérémonies hébraïques.

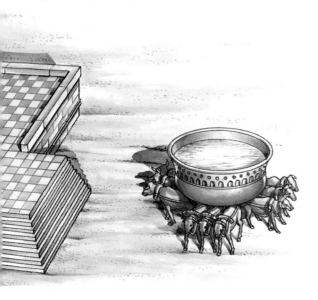

PÉTRA, CITÉ DE PIERRE

Cette page montre le Tombeau du Soldat Romain. Face à l'entrée, le triclinium était une salle où se déroulaient des festins funéraires. À gauche, une volée de marches menait de la cour au triclinium du jardin. Le dessin, en haut à droite, montre la façade inachevée du tombeau Ad-Dayer, « le Monastère ». L'illustration ci-dessous montre l'intérieur de l'une des tombes de Pétra. La ville est souvent appelée la « cité rose rouge ».

La ville antique de Pétra se trouve au sud de la mer Morte sur l'actuel territoire jordanien. On sait peu de choses sur ce site avant les années 300 où, habitée par les Nabatéens, la ville prospérait grâce au commerce.

LE ROCHER

La cité fut connue sous différents noms : Requem, Selai et Pétra qui signifient tous « le rocher », car la cité est un site au milieu des falaises littéralement sculptée dans la roche naturelle. C'est pourquoi une grande partie de la ville est restée intacte malgré la disparition de ses habitants.

LE SIQ

Pétra ne peut être atteinte qu'en suivant une gorge étroite appelée le Siq qui sépare deux hautes montagnes, que le film *Indiana Jones et la dernière croisade* a rendue célèbre. Ce canyon débouche ensuite dans une vallée rocheuse encaissée dans les falaises de laquelle les habitants de Pétra sculptèrent leurs maisons et leurs temples.

Le tombeau du soldat romain
1 allée couverte
2 triclinium
3 entrée
4 cour
5 tombe

LES STYLES ARCHITECTURAUX

De nombreuses constructions possèdent de magnifiques façades décorées de colonnes et de statues reflétant les différentes cultures étrangères qui ont influencé la cité. Le style architectural est un mélange unique d'éléments persans, assyriens, grecs et romains. Des architectes invités ont probablement conçus certains bâtiments. Pétra avait aussi des rues, des temples, des bains dallés, et une porte monumentale. Un grand marché regroupait des douzaines d'étals à l'intention des marchands traversant la ville. À l'extérieur des bâtiments sculptés dans la roche, étaient bâtis des villages aux maisons faites de bois et de pierre.

Le trésor
1   portique
2   cour intérieure
3   salles des prêtres
4   le sanctuaire

UNE VILLE COMMERÇANTE

Entre 400 av. J.-C. et 200 apr. J.-C., Pétra se trouvait au croisement de deux grands itinéraires caravaniers. Les Nabatéens eux-mêmes faisaient commerce des parfums de l'Arabie, des soieries de Chine et des épices de l'Inde. Ils prélevaient des taxes et contrôlaient tout le commerce transitant par la ville qui devint ainsi fabuleusement riche.

LE DÉCLIN DE PÉTRA

En 25 av. J.-C., l'empereur romain Auguste tenta en vain de prendre le contrôle du commerce des épices. Puis l'établissement d'une route maritime entre l'Arabie et Alexandrie éloigna le flux commercial de Pétra dont l'importance diminua. En 363 de notre ère, la ville fut endommagée par un séisme. Peu à peu la cité sombra dans l'oubli jusqu'à ce qu'un voyageur, Johann L. Burckhardt, redécouvrît le site vers 1812.

Cette page montre la célèbre façade tombale du Khazneh ou trésor du Pharaon. L'urne placée au centre de la façade a plus de 3 m de large. Elle a donné son nom au « Trésor » car, selon la légende, elle contenait des trésors en or. Des voyageurs allèrent jusqu'à tirer des coups de pistolets sur l'urne pour dérober son contenu, ce que la loi réprime dorénavant ! L'encadré ci-dessous montre la rue des Façades à Pétra qui cache derrière l'apparence de simples maisons, les entrées des tombeaux.

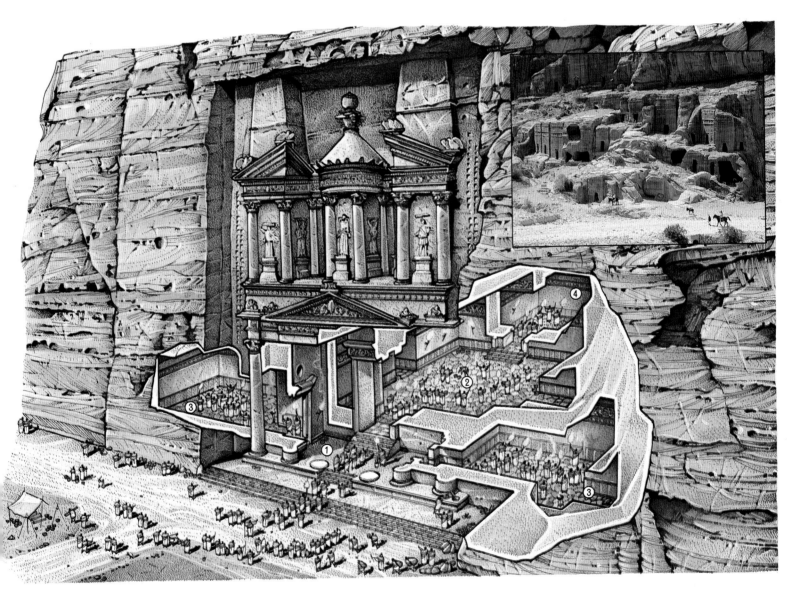

L'OLYMPIE DE ZEUS

Olympie fut un des sites sacrés les plus importants de la Grèce antique, qui d'après les légendes grecques, fut construite par Hercule. Olympie n'est pas seulement le lieu où naquirent les Jeux olympiques, elle abritait aussi l'une des Sept Merveilles du monde antique : la statue géante de Zeus.

LE SITE SACRÉ
Olympie était un important site religieux vers 1000 av. J.-C. Peu à peu, elle devint le centre du culte de Zeus, roi des dieux grecs. Les premiers Jeux olympiques officiels y furent organisés en 776 av. J.-C.

Zeus était le roi des dieux. Les Grecs croyaient qu'il commandait au tonnerre, à la foudre, à la pluie et aux vents. Son arme traditionnelle était la foudre que l'on voit ci-dessous dans sa main.

Les sauts et la course furent les principales disciplines des Jeux olympiques. Cette jarre grecque montre un homme exécutant un saut en longueur sans élan. Pour augmenter sa force de détente, il lance en avant deux lourdes pierres.

La statue de Zeus mesurait environ 13 m de haut. Son crâne touchait presque le plafond du temple, ce qui fit dire à quelques humoristes qu'en se levant, il eût crevé le toit. L'écrivain géographe de l'Antiquité, Pausanias, mentionnait un escalier en spirale menant à une galerie surélevée d'où les visiteurs pouvaient admirer la statue.

L'autel de Zeus fut érigé vers 1000 av. J.-C., sur un site, où, d'après la légende, la foudre lancée par Zeus frappa la Terre. C'est pour cette raison qu'en plein milieu de la fête olympique, les Jeux s'arrêtaient et cent bœufs étaient sacrifiés.

LE TEMPLE DE ZEUS

Le bâtiment le plus spectaculaire d'Olympie était le temple de Zeus. Achevé vers 460 av. J.-C., sa construction avait demandé environ 10 années de longs travaux. Le toit était soutenu par 34 colonnes. L'eau s'écoulait du toit de marbre par cent tuyaux en forme de tête de lion. Le bâtiment était davantage l'abri de la statue de Zeus qu'un lieu de culte. L'intérieur du temple, rempli de statues, ressemblait plutôt à un musée.

LA STATUE DE ZEUS

Vers 436 av. J.-C., le sculpteur athénien Phidias, le représentant le plus illustre de l'art classique grec, commença l'exécution d'une statue colossale de Zeus. Elle était destinée au temple. Son œuvre devint célèbre dans tout le monde antique pour sa beauté et ses dimensions.

La peau du dieu était faite de plaques d'ivoire et sa robe était en or. Assis sur un trône monumental, il tenait un sceptre surmonté d'un aigle dans sa main gauche et une statue de Nikê, déesse de la victoire, dans sa main droite.

> « ... De sa main gauche, il tient un sceptre habilement forgé de divers métaux... Les sandales du dieu sont en or, comme sa robe, ornée d'animaux et de lys. Le trône est orné d'or, de pierres précieuses, d'ébène et d'ivoire, et décoré de figures peintes et sculptées. »
>
> — *Pausanias* —

LES JEUX OLYMPIQUES

Les jeux organisés à Olympie avaient lieu tous les quatre ans en hommage à Zeus. Cette fête était si importante que les guerres s'interrompaient et que tous les états envoyaient des athlètes. Lors des premières olympiades, la seule compétition fut une course à pied sur la longueur du stade soit 192 m. Coroibus d'Elis, un cuisinier, fut le premier vainqueur reconnu.

Peu à peu, d'autres compétitions furent organisées telles que la lutte et un pentathlon comprenant la course, le saut, le lancement du javelot et du disque et la lutte.

Par la suite furent ajoutées la boxe, la course de chars et la course de chevaux. En 632 av. J.C., les jeux duraient cinq jours.

LA FIN DES JEUX

Peu à peu, la simplicité des premiers Jeux olympiques disparut et les vainqueurs devinrent de véritables héros nationaux auxquels on élevait des statues.

En 394 apr. J.-C., les Jeux furent interdits par l'empereur romain Théodose qui les décréta anti-chrétiens. Le temple de Zeus fut détruit en 426 apr. J.-C. et la statue fut brûlée en 462.

Olympie et l'idéal olympique tombèrent dans l'oubli pendant près de 1 400 ans.

L'une des épreuves les plus dures des anciens Jeux était une course disputée par des athlètes revêtus de la cuirasse complète. Pour la plupart des autres épreuves, les coureurs étaient nus afin de prouver qu'ils étaient du sexe masculin. Les femmes avaient leurs propres jeux appelés Jeux d'Héra.

La course de chars se disputait dans le stade d'Olympie. Construit au IVᵉ siècle, il pouvait accueillir 40 000 spectateurs qui s'asseyaient sur des talus herbeux disposés en pente douce.

LE PORT DE CARTHAGE

Un pendentif en verre représentant le visage d'un Phénicien retrouvé sur le site de Carthage.

E n Afrique du Nord, la cité de Carthage fut une colonie phénicienne. Peuple de navigateurs, venant du pays de Canaan. La ville fut à ses débuts un port de commerce, mais son développement en fit la cité la plus importante de la Méditerranée occidentale au point qu'elle défia la puissance de Rome. Les Carthaginois disposaient d'une flotte considérable et d'une bonne organisation de sa base navale, qui en faisait la meilleure du monde antique.

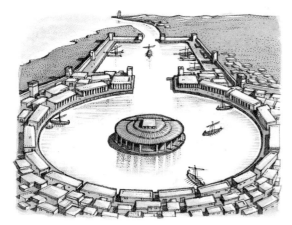

Le port de Carthage tel qu'il fut à l'origine : l'avant-port rectangulaire abritait les navires marchands ; le port circulaire, les navires de combat.

LES PHÉNICIENS

Possédant peu de bonnes terres cultivables, les Phéniciens se tournèrent vers la mer et devinrent d'habiles commerçants. Dès 2950 av. J.-C., leurs galères parcouraient toute la Méditerranée en transportant des poissons séchés, de l'or, de l'ivoire, des verreries, des étoffes, des bijoux et des métaux travaillés.

CARTHAGE

La cité de Carthage dont le nom signifie « cité nouvelle » en phénicien, fut fondée par les Phéniciens vers 814 av. J.-C. Elle était entourée d'une muraille de 35 km de long. La citadelle intérieure était érigée sur la colline de Byrsa. Environ 700 000 personnes vivaient à Carthage, mais la plupart résidait probablement en dehors des murs. La merveille de Carthage était son magnifique port artificiel appelé Cothon ou le port creusé.

Certaines reconstitutions du port montrent une jetée reliant le port intérieur circulaire au rivage. Sans cette jetée, les navires de guerre auraient dû débarquer l'équipage avant d'entrer dans la cale et seul un équipage réduit aurait dû mener le bateau jusqu'au port central.

LE COTHON

À cette époque, la majorité des ports, établis dans des abris naturels, comprenaient de simples jetés et quelques entrepôts à marchandises. Le port de Carthage fut, de loin, le plus important port artificiel du monde antique. Il était constitué de deux grands bassins. Le port rectangulaire extérieur, le plus grand accueillait les navires marchands ; le port intérieur rond était destiné aux navires de guerre appelés « quinquerèmes » (p. 28 en haut à droite), propulsés par plus de 200 rameurs.

LE CHANTIER NAVAL

Le bassin circulaire fut la plus grande base navale du monde antique. Au centre du lagon se trouvait une île circulaire construite en pierres qui comprenait des cales de halage où les navires étaient abrités sous un toit.

Lorsqu'un navire était halé sur la cale, il devenait presque invisible de la ville. Là, il était nettoyé et réparé à l'abri des regards d'éventuels espions qui pouvaient surveiller l'armée carthaginoise. Au sommet des cales, se trouvait le grand bâtiment de l'Amirauté. De cet endroit, les surveillants observaient les mouvements des navires dans le port et réglait le trafic à l'aide de trompettes, de cris ou, la nuit, de torches.

GRANDEUR ET DÉCADENCE

En 264 av. J.-C., la cité commença de longues luttes (appelées guerres Puniques) contre Rome. À la fin de la troisième guerre Punique, en 146 av. J.-C., Carthage fut détruite et laissée à l'état de ruines. Ses champs furent couverts de sel afin de rendre stérile la terre et d'interdire tout retour de sa puissance.

En fait, sous l'Empire romain, elle fut très prospère et abrita encore plus d'habitants qu'auparavant. En 533 apr. J.-C., la cité fut prise par Bélisaire, général byzantin. Elle demeura une place forte byzantine chrétienne jusqu'en 698 apr. J.-C., date à laquelle elle fut détruite lors de la conquête musulmane.

Les marchands phéniciens transportèrent du bois de cèdre en Égypte dès 2950 av. J.-C. Il est mentionné dans la Bible (Rois Ier 5-8) dit même que les galères phéniciennes livrèrent des billes de cèdre pour la construction du temple de Salomon (p. 22).

LES SEPT MERVEILLES

Le Parthénon était le temple dédié à la déesse d'Athènes, Athéna. Il ne figurait pas sur la première liste des Sept Merveilles. Mais il est désormais considéré comme l'un des édifices les plus magnifiques du monde antique.

*L*es Sept Merveilles du monde : ainsi furent désignées par les auteurs grecs et romains sept grandes réalisations techniques, architecturales et artistiques de l'Antiquité.

LA LISTE D'ANTIPATER
La liste originale des merveilles apparut vers 130 av. J.-C. dans un poème d'Antipater de Sidon. Les merveilles reconnues sont : les pyramides d'Égypte (p. 8), les murailles et les jardins suspendus de Babylone (p. 18), le temple d'Artémis à Éphèse, la statue de Zeus à Olympie (p. 26), le mausolée d'Halicarnasse et le colosse de Rhodes. Une liste ultérieure réalisée par le mathématicien Philon de Byzance cite le phare d'Alexandrie (p. 20) à la place des murailles de Babylone. D'autres auteurs reprirent cette liste, mais en confondant les murailles et les jardins de Babylone en une seule merveille.

LES AUTRES MERVEILLES
Parmi les autres merveilles du monde, on cite l'autel du dieu Soleil à Pergame (Grèce), le stade d'Olympie, le parthénon d'Athènes, le théâtre d'Épidaure et la longue rampe de 7 km sur laquelle les Grecs halaient leurs navires pour traverser l'isthme* de Corinthe et ainsi éviter 700 km de navigation.

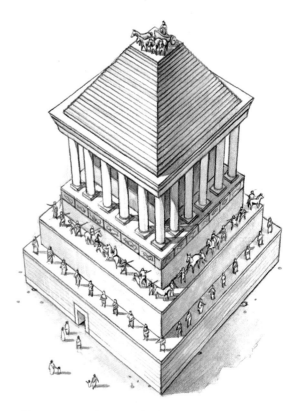

Nous savons à peu près à quoi ressemblait le mausolée d'Halicarnasse par d'anciens récits et par les reconstitutions des archéologues modernes. Le tombeau fut conçu par des architectes grecs et orné de sculptures et de panneaux de style grec.

Le temple d'Artémis était orné de magnifiques œuvres d'art représentant des personnages de la mythologie grecque. De hautes et minces colonnes supportaient le toit recouvert de tuiles.

« Le temple d'Artémis… est l'unique demeure des dieux. Quiconque le verra sera convaincu… que l'univers céleste de l'immortalité s'est établi sur la terre. »

— *Philon* —

LE TEMPLE D'ARTÉMIS
Le temple d'Artémis fut érigé à Éphèse (actuelle Turquie) vers 550 av. J.-C. par Crésus, roi de Lydie. La partie intérieure du temple abritait une simple statue de la déesse Artémis en pierre noire ornée d'or et d'argent. Le temple fut incendié en 356 av. J.-C. par un dément nommé Herostratus. Il fut alors reconstruit, mais détruit à nouveau par les Goths en 262 apr. J.-C. Ses ruines furent découvertes en 1866.

LE MAUSOLÉE

Il reste très peu de choses d'une autre merveille antique, le Mausolée d'Halicarnasse dans l'actuelle Turquie. Il fut construit par la reine Artémise, vers 350 av. J.-C., en l'honneur de son défunt mari, Mausole. Le tombeau fut si remarquable qu'on baptisa « mausolée » toutes les tombes monumentales.

Cette sépulture avait la forme d'un grand temple carré posé sur une base elle-même carrée et orné de colonnes et de statues. Le toit était une pyramide à 24 degrés couronnée par la statue d'un char attelé de chevaux (voir p. 30 en haut à droite) qui culminait à environ 50 m au-dessus de la ville. Le Mausolée fut détruit par un séisme au XIIIᵉ siècle.

LE COLOSSE DE RHODES

En 305 av. J.-C., les citoyens de l'île de Rhodes érigèrent une statue géante pour célébrer leur victoire après avoir été assiégés par les Macédoniens. Ce « colosse » mesurait environ 33 m de haut. Il représentait le dieu du soleil, Helios, et portait probablement une couronne en forme de rayons solaires.

Fondue en bronze, la statue est souvent représentée enjambant l'entrée du port de Rhodes. Mais les ingénieurs de cette époque étaient probablement incapables de construire un ouvrage aussi important et les historiens actuels estiment que la statue était dressé sur un quai du port. Malgré des renforts de pierres et de fer, le

« Soixante-six ans après son érection, la statue fut renversée par un tremblement de terre, mais, même tombée à terre, elle reste une merveille. Peu de gens peuvent entourer ses pouces de leurs bras et ses doigts sont plus gros que bien des statues... »

——— *Pline le Jeune* ———

colosse se rompit aux genoux, et il tomba lors d'un séisme. Les citoyens furent prévenus par un oracle* de ne pas le reconstruire. Lors de l'invasion arabe de Rhodes en 672 apr. J.-C., le colosse fut démantelé et le métal vendu. Triste fin pour une des Sept Merveilles du monde !

Les théâtres grecs furent des constructions magnifiques. Le plus bel exemple encore existant est le théâtre d'Épidaure. Construit après 350 apr. J.-C., il peut accueillir 14 000 spectateurs sur ses immenses gradins semi-circulaires.

Le colosse de Rhodes était probablement creux. Sa structure était sans doute une charpente en bois recouverte de plaques de métal donnant la forme extérieure du Colosse.*

LA ROME ANTIQUE

L'empereur Vespasien ordonna la construction du Colisée à Rome pour accueillir les combats de gladiateurs. Pour protéger les spectateurs du soleil, le cirque pouvait être recouvert d'une immense toile mise en place par 1 000 marins utilisant des cordes et des poulies.

Les Romains, constructeurs habiles et prolifiques, surent aussi emprunter aux autres civilisations. Plusieurs empereurs firent de Rome une des merveilles du monde antique.

LA CITÉ DE ROME

Les Romains l'appelaient *Urbs*, la Cité (en latin). À son zénith, Rome fut une métropole grouillante de plus d'un million d'habitants avec des palais, des temples, des stades et des avenues commerçantes. Les grands édifices publics étaient généralement érigés sur ordre de l'empereur. La plupart des voies, des fortifications et des bâtiments publics en dehors de Rome furent construits par l'armée, à la fois pour maintenir et occuper les troupes et pour renforcer les défenses de la ville. Tout fut construit en brique, pierre et ciment pour durer le plus longtemps possible.

LE COLISÉE

Les empereurs de Rome contrôlèrent le peuple indiscipliné de la ville en lui octroyant du grain chaque mois à titre gratuit et en lui offrant des spectacles sous forme de jeux, compétitions athlétiques, combats organisés et exercices de cirque. L'arène où se déroulaient les combats de gladiateurs s'appelait le Colisée.

Il fallut environ 10 ans pour achever ce théâtre vers l'an 80 apr. J.-C. Capable d'accueillir jusqu'à 55 000 spectateurs, il fut construit principalement en pierres et en ciment.

Certaines parties, comme les tribunes des sénateurs, étaient parées de marbre. La galerie supérieure réservée aux femmes était en bois.

Sous l'arène, un labyrinthe de salles et de cages abritait employés, prisonniers et animaux sauvages. Ceux-ci étaient amenés en surface au moyen de monte-charges.

Le Circus Maximus fut le plus grand stade pour courses de chars de Rome. Le stade comprenait des terrasses en pierres, mais il a pu être équipé de bancs de bois pour augmenter le nombre de places. Lors d'un accident, les bancs s'écroulèrent, tuant 13 000 personnes.

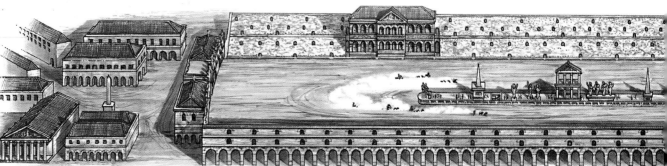

LE CIRCUS MAXIMUS

Le peuple pouvait aussi assister à des courses de chars au Circus Maximus ou Grand Cirque, lieu de l'ancienne Rome réservé à ces courses. Il s'agissait d'une piste en U géante avec un long îlot central entourée de gradins sur trois côtés. Cette arène fut plusieurs fois reconstruite pour atteindre ses dimensions maximales sous l'empereur Constantin au IVe siècle apr. J.-C., soit environ 690 m de long sur 190 m de large. Susceptible de recevoir près de 250 000 spectateurs, ce fut une des plus grandes arènes jamais construite dans le monde.

LE PALAIS DE NÉRON

La maison dorée, demeure de l'empereur Néron, fut un des plus somptueux palais de Rome. Construit au cœur de Rome, sur les terrains les plus chers, le vestibule était si haut qu'il pouvait contenir aisément une statue de Néron de 37 m de haut. Les plafonds de la salle à manger étaient faits de panneaux d'ivoire qui s'ouvraient pour déverser sur les invités des fleurs parfumées. La grande salle des banquets tournait nuit et jour, probablement mue par un système hydraulique.

À l'époque de l'Empire romain, la plupart des villas, des forts et des villes possédaient leur propre moulin à moudre les grains. Rome en avaient plus de vingt. Le plus grand moulin à eau était situé à Barbegal, dans le midi de la France. Les seize roues à aubes entraînaient huit meules susceptibles d'écraser assez de grains chaque jour pour nourrir 12 500 personnes.

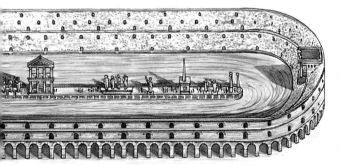

Un des plus grands aqueducs de l'Empire romain est le pont du Gard qui subsiste dans le sud de la France. Le canal supporté par les trois niveaux de maçonnerie mesurait 50 km de long et alimentait un réservoir de 20 000 tonnes d'eau pour la ville de Nîmes.

LE PANTHÉON

Le panthéon (temple de tous les dieux) fut construit par Agrippa en 27 av. J.-C. et reconstruit par Hadrien vers 120 apr. J.-C. C'était un bâtiment circulaire recouvert d'un dôme aplati fait d'anneaux de ciment à recouvrement. Curieusement, le centre du dôme était ouvert, cette solution allégeait le toit, éclairait l'intérieur et éliminait le risque d'effondrement sur les visiteurs.

LES THERMES DE CARACALLA

Les Romains traitaient leurs affaires aux thermes*. Les plus luxueux et les plus grands furent achevés sous le règne de l'empereur Caracalla en 216 apr. J.-C. Le bâtiment pouvait accueillir plus de 1 500 baigneurs en offrant toutes sortes de possibilités, du bain de vapeur aux bains glacés.

LA COLONNE DE TRAJAN

La colonne de Trajan, qui mesure 30 m de haut, est faite de 20 énormes blocs de marbre empilés. Leur face externe est ornée de plus de 2 500 personnages sculptés illustrant les guerres de Trajan en Dacie (Roumanie). La base de la colonne est un cube creux abritant plusieurs pièces et l'escalier en colimaçon menant au sommet.

La colonne de Trajan (aspect actuel). Elle est recouverte de scènes sculptées (page 32 en haut à droite) et contient un escalier en colimaçon menant au sommet (ci-dessous à gauche).

Il se peut que les ingénieurs de l'époque aient été en mesure de survoler le désert grâce à un ballon pour guider à la voix ceux qui traçaient les lignes.

L es premiers êtres humains arrivèrent probablement sur le continent américain il y a environ 50 000 ans. Ils vinrent de l'Asie par le détroit de Béring qui réunissait à l'époque les deux continents (entre la Russie et l'Alaska). Leurs descendants mirent des milliers d'années à occuper toutes les contrées des deux Amériques où ils créèrent de nombreux sites étonnants.

LES LIGNES NAZCA

Sur la bordure aride du désert d'Atacama (au nord du Chili), la tribu des Nazcas (200 av.-600 apr. J.-C.) traça sur le sol des formes de créatures gigantesques et géométriques. Personne ne sait pourquoi ni comment ils réalisèrent ces lignes.

Les motifs, presque invisibles du sol, ne peuvent être vus correctement qu'en hauteur. Certains savants ont suggéré que ces tracés étaient des messages pour les dieux.

Les lignes des Nazcas, creusées dans le sol du désert, furent préservées par l'extrême sécheresse de la région. Elles représentent souvent des formes géométriques ou des animaux géants tels qu'un singe, un oiseau et une araignée (ci-dessus). Mesurant plusieurs centaines de mètres de long, elles ne peuvent être bien observées que du ciel.*

LES PREMIERS HOMMES VOLANTS

D'autres ont émis l'idée que les Nazcas ont su construire des ballons à air chaud permettant aux observateurs de survoler le plateau et de diriger les ouvriers à la voix. Il existe quelques indices en faveur de cette hypothèse. Si elle se vérifiait, les Sud-Américains seraient ainsi les premiers hommes à avoir volé.

LA CULTURE HOPEWELL

En Amérique du Nord, de nombreuses tribus érigèrent de gigantesques tumulus* funéraires. Ces tribus sont désignées collectivement les Hopewell (200 av.-500 apr. J.-C.), du nom du premier tumulus découvert. D'autres plus nombreux étaient de simples tombes contenant chacune un seul ancêtre défunt. Certains corps étaient inhumés dans un tombeau de rondins auquel on mettait ensuite le feu ou brûlés dans des fours de terre glaise avant d'être recouverts de terre. Les corps étaient généralement ensevelis avec les biens personnels du défunt comme ses bijoux et poteries.

LES BÂTISSEURS DE TUMULUS

La forme et les dimensions de ces tumulus* varient. À Mound city, Ohio, on trouve un ensemble composé d'une douzaine de tumulus entourés d'un mur de terre formant un rectangle. Certains de ces monticules possèdent des formes géométriques* simples, d'autres ressemblent à des retranchements ou à des fortins qu'ils ont peut-être été jadis.

D'autres tumulus ont des formes pyramidales plus vastes et l'on suppose qu'ils ont servi de base à des temples en bois ou autres édifices religieux. Certains tumulus parmi les plus intrigants présentent des formes d'animaux. Ces tumulus plus élaborés, comme le tumulus du Grand Serpent dans l'Ohio, furent probablement d'importants lieux de culte ou, peut-être, des terrains de fête.

LES PYRAMIDES DU SOLEIL

En Amérique centrale, des peuples comme les Mayas, les Olmèques et les Toltèques bâtirent des cités de pierres. La plus vaste se trouvait à Teotihuacán au Mexique où le peuple adorait des dieux cruels inspirés par les éléments. Ils construisirent des temples pyramidaux en pierres pour y célébrer leurs cérémonies.

« Ces grandes... constructions s'élevant au-dessus de l'eau, toutes faites de pierres, apparurent comme un enchantement... C'était tellement merveilleux.... un premier regard sur des choses inouïes, jamais vues ni même rêvées auparavant. »

— Bernal Diaz, soldat espagnol —

TENOCHTITLÁN

En 1325, à Tenochtitlan (futur Mexico) les Aztèques fondèrent un village lacustre, qui se développa en une grande cité. Au centre de celle-ci, sur une île, se dressaient des pyramides, des temples et des palais impériaux. Des milliers de victimes étaient sacrifiées chaque année, le cœur arraché donné en offrande au dieu soleil. Autour de la ville, une plaine fertile flottait littéralement sur des radeaux accrochés les uns aux autres. Les eaux usées étaient collectées pour servir d'engrais à ces cultures et des aqueducs amenaient l'eau potable dans la cité.

Les conquérants espagnols furent stupéfaits par la cité lors de leur arrivée en 1519.

Le tumulus* du Grand Serpent dans l'Adams County, Ohio, États-Unis, est probablement le plus compliqué des monticules d'Hopewell. Il a la forme d'un grand serpent avalant un œuf. Le corps, qui rampe vers le nord, a 405 m de long et 2 m de haut.

LES ROUTES ET LES TERRASSES

Au Pérou, les Incas régnèrent sur un empire tentaculaire. Ils aménagèrent des terrasses cultivables pour exploiter les terrains montagneux. Ils construisirent d'énormes réservoirs et un réseau de canaux pour irriguer les terres arides. Ils édifièrent de magnifiques cités avec des pierres si bien ajustées qu'une lame de couteau ne pouvait être enfoncée dans les joints.

Les Incas mirent aussi en place un réseau de routes dallées ainsi que des ponts suspendus vertigineux traversant des ravins profonds. Un courant d'eau coulait le long de chaque route pour rafraîchir les voyageurs épuisés. Les messagers couraient de relai en relai portant les nouvelles dans les deux sens sur la route de 5 200 km qui couvrait toute la longueur de l'Empire inca.

Les Indiens utilisaient des pipes très élaborées lors des fumeries rituelles. La pipe de stéatite (sorte de craie) à gauche trouvée en Oklahoma (États-Unis) est sculptée en forme de guerrier décapitant sa victime. La pipe de gauche est en forme de crapaud. Elle est typique des pipes sculptées par les Indiens Hopewell qui les ornaient, comme leurs poteries, d'oiseaux, de poissons et autres animaux. Ils fabriquaient aussi de beaux objets en cuivre et en or comme ce corbeau aux yeux de perle (p. 34 en haut à droite).

L'ÎLE DE PÂQUES

Les statues avaient des yeux faits de corail blanc avec des pupilles en pierre rouge. Les yeux étaient le dernier élément ajouté à la statue après sa mise en place, sans doute pour lui donner vie.

Certaines statues de l'île de Pâques pèsent jusqu'à 45 tonnes. Il a fallu les transporter sur plusieurs kilomètres de la carrière au site. Une des techniques de déplacement consistait peut-être à les faire osciller latéralement en tirant sur des cordes afin de les faire « marcher ». Les coiffes, faites en pierre volcanique rouge, devaient être mises en place avant le redressement car il aurait été difficile de les soulever séparément.

L'île de Pâques est un des endroits du monde les plus retirés et les plus mystérieux. Pourquoi cette île du Pacifique si lointaine a-t-elle été habitée demeure sans réponse. Mais plus étrange encore est l'histoire des grandes statues de pierre qui surveillent silencieusement cette terre désolée.

LES PREMIERS HABITANTS

La première peuplade qui aborda l'île de Pâques arriva vers 400 apr. J.-C. Il s'agissait de navigateurs polynésiens qui avaient dû effectuer une longue traversée de plusieurs milliers de kilomètres sans aucune terre d'escale.

Quelque temps après, un second groupe arriva, venant probablement d'Amérique du Sud. En 1947, l'explorateur Thor Heyerdahl répéta ce long voyage à bord d'un radeau de balsa pour démontrer que des Sud-Américains avaient pu s'établir sur l'île. La présence de la patate douce, que l'on cultivait en Amérique du Sud semble étayer cette théorie.

LONGUES OREILLES ET COURTES OREILLES

Quelle que soit la réalité, et selon les propres légendes des îliens, les habitants se divisèrent en deux groupes, les longues oreilles et les courtes oreilles, ce qui soutient l'idée d'une double origine des habitants.

Les premiers occupants qui vivaient de la pêche et de l'agriculture savaient travailler et tailler la pierre avec une grande habileté. Ils édifièrent des terrasses de pierres faisant face au soleil, ce qui laisse penser qu'ils vouaient un culte à cet astre, et construisirent aussi des maisons de pierre, circulaires, ovales ou en forme de bateau.

LES STATUES

Vers 1100 apr. J.-C., les habitants de l'île commencèrent à édifier des statues de pierre géantes, dotées de longues têtes et de longues oreilles et, chacune d'elles portait une coiffe de pierre rouge et avait de grands yeux faits de corail blanc. Elles étaient disposées sur des plates-formes cérémonielles appelées « ahû ». Ces statues étaient sculptées dans la roche volcanique à l'aide de simples outils de pierre.

DES STATUES AMBULANTES

La roche provenait de carrières ouvertes dans le volcan Rano Raraku. Longtemps, les scientifiques se demandèrent comment les îliens avaient pu déplacer ces énormes statues. Thor Heyerdahl interrogea les habitants qui lui montrèrent comment, au moyen de cordes, on pouvait faire « marcher » les blocs sur une rampe en les balançant d'un côté et de l'autre tout en les tirant.

GUERRE CIVILE ET FAMINE

Les habitants de Pâques coupèrent les arbres de l'île afin de dégager des terres cultivables, construire les toits de leurs habitations et fabriquer des leviers pour déplacer les statues géantes. Ce fut alors un désastre pour les sols, car, sans les racines pour les retenir, les terres arables furent emportées par les eaux.

Vers 1680, une grande famine fut suivie d'une terrible guerre entre les longues oreilles et les courtes oreilles. L'édification des statues fut arrêtée et beaucoup d'entre elles furent renversées. Les survivants trouvèrent refuge dans des souterrains et pratiquèrent peut-être l'anthropophagie. La population commença à décliner.

Lorsque les premiers Européens arrivèrent sur l'île en 1722, ils ne trouvèrent que des statues renversées et quelques habitants vivant dans de simples huttes.

Alignement de statues sur l'île de Pâques. Lorsque le capitaine Cook aborda l'île au XVIIIᵉ siècle, les habitants lui apprirent que chacune avait un nom. Le culte des ancêtres, très répandu dans le Pacifique, a vraisemblablement été pratiqué sur l'île de Pâques.

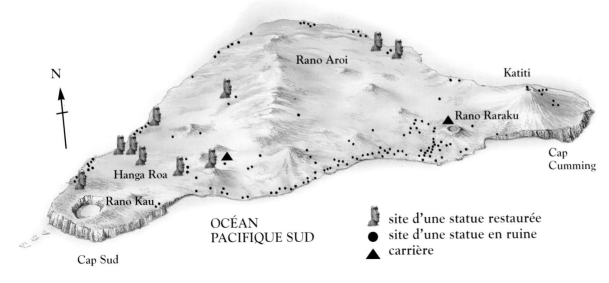

OCÉAN
PACIFIQUE SUD

🗿 site d'une statue restaurée
● site d'une statue en ruine
▲ carrière

Sur cette carte on voit les sites des statues et des carrières de l'île de Pâques. On trouve sur l'île environ 600 statues mesurant entre 3 et 6 m de haut. La plus grande fait 11 m. Environ 150 statues restèrent inachevées, à demi sculptées, dans les carrières.

37

CHICHÉN ITZÁ

Cette peinture murale toltèque montre un guerrier et le serpent à plumes Quetzalcoatl, dieu à qui la grande pyramide de Chichén Itzá était dédiée.

Dans une partie retirée de la presqu'île du Yucatan, au Mexique, la cité de Chichén Itzá fut autrefois un immense lieu de culte et de cérémonies pour les mystérieux peuples indiens, les Mayas et les Toltèques. Il y a mille ans, les Toltèques assistaient aux sacrifices humains perpétrés dans un puits sacré en hommage au dieu de la pluie, Chac.

LA CITÉ

Chichén Itzá, désormais en ruine, est située au nord-est du Mexique. Fondée vers 432 par les Mayas, la ville fut construite sur une plaine qui abritait deux énormes puits naturels.

Le nom de la ville signifie bouches des Puits des Itzá des mots mayas *chi*, la bouche, *chén*, le puits et Itzá (une des nombreuses tribus vivant sur le site).

Le centre de la cité de Chichén Itzá avec le grand temple pyramidal de Quetzalcoatl (centre gauche), la tour de l'Escargot (centre) et la cour sacrée des Balles (à gauche).

LES MAYAS

Les premiers habitants, les Mayas, construisirent à Chichén Itzá de nombreux et grands bâtiments officiels dont des palais, des bains et des temples pyramidaux dédiés aux dieux serpent et jaguar. Les prêtres mayas procédaient régulièrement à des sacrifices humains au sommet de ces pyramides en offrant au Soleil le cœur de leurs victimes.

Ils édifièrent aussi une curieuse tour ronde appelée l'escargot en raison de son escalier intérieur en spirale. La construction d'environ 122 m de haut fut peut-être un observatoire céleste. Les gouverneurs, les chefs militaires et les prêtres vivaient dans la cité tandis que le petit peuple résidait à l'extérieur.

LES TOLTÈQUES

Vers 950, la cité fut prise par une tribu appelée les Toltèques, accompagnés ou suivis ultérieurement par les Itzá. Ces peuples édifièrent de nombreux bâtiments nouveaux et superbes dont l'immense cour des Balles, le grand temple pyramidal dédié au dieu serpent à plumes Quetzalcoatl, et le temple des guerriers dont le portique d'accès était gardé par des serpents à plumes géants. Une statue sculptée du dieu de la pluie Chac étendu et présentant au ciel son bol à offrandes était placée à l'extérieur du temple (p. 38 en haut à droite).

LA COUR DES BALLES

La cour des Balles de Chichén Itzá, la plus vaste d'Amérique centrale avec 128 m de long sur 60 m de large était entourée d'un mur élevé, car le spectacle des jeux sacrés qui s'y déroulaient était probablement réservé aux dignitaires qui, les observaient à partir de balcons de bois.

LES PUITS

Chichén Itzá possédait deux puits géants. L'un alimentait la ville en eau, mais l'autre avait sans doute une fonction plus sinistre. Au cours de la période toltèque, le peuple faisait des sacrifices au dieu de la pluie. En jetant dans les puits des offrandes, sous la forme d'objets en jade et en or. Peut-être y a-t-il eu aussi des sacrifices humains.

Jeu de balle rituel. Avec une balle de caoutchouc, les joueurs essayaient de marquer des buts en faisant passer la balle à travers un anneau de pierre scellé en haut d'un mur. Les sculptures murales font penser que l'équipe perdante était probablement sacrifiée en offrande au dieu serpent.

UN PEUPLE ÉVANOUI

Lorsque les Toltèques arrivèrent dans la cité, celle-ci était déjà abandonnée par les Mayas qui l'avaient construite. Personne ne sait ce que sont devenus les premiers habitants. Vers 1224, les Toltèques eux-mêmes abandonnèrent la cité où l'on ne découvrit aucun indice de violence ni trace de combat. Les habitants semblent avoir disparu comme par enchantement.

Un des deux grands puits. Les archéologues qui ont exploré la cité ont découvert plus de 40 squelettes humains, probablement des sacrifiés, au fond d'un des puits.

Le grand temple pyramidal recélait un passage secret menant à une pièce dissimulée. On y découvrit une statue grandeur nature du dieu jaguar rouge dont les taches de la robe sont en disques de jade poli.

39

SAINTE-SOPHIE

Après la prise de Rome par les Wisigoths en 410 apr. J.-C., la Byzance impériale devint le centre du monde chrétien. En 532, l'empereur Justinien ordonna la construction d'une grande église dans sa capitale de Constantinople. Appelée *Hagia Sophia*, ce qui signifie sainte sagesse en grec, ce magnifique édifice devait constituer le point de ralliement de la Chrétienté. Pendant près de 1 000 ans, ce fut l'église la plus importante de l'Empire byzantin.

LE SITE

Une église occupait le site choisi pour Sainte-Sophie depuis 360 apr. J.-C. Mais le 15 janvier 532, deux groupes rivaux de fanatiques de courses de chars commencèrent à se quereller. La dispute dégénéra pour tourner à l'émeute. Lorsque Justinien réussit à rétablir l'ordre, de nombreux édifices importants, dont la Sainte-Sophie originale, avaient été détruits.

LES ARCHITECTES

Justinien chargea deux architectes, Anthémios de Tralles et Isidore de Milet, de concevoir et de bâtir une nouvelle église. Ces deux hommes étaient des maîtres constructeurs et des spécialistes en géométrie et en mécanique. Leur projet était révolutionnaire. Ils choisirent de doter cette église d'un espace intérieur totalement ouvert. Au lieu de tracer un long édifice dont le toit était soutenu par des rangées de piliers, ils dessinèrent un toit constitué d'une série de dômes. Le dôme principal avait 31 m de diamètre et 55 m de haut.

L'illustration en haut à droite montre l'empereur Justinien (au centre) accompagné de l'archevêque Maximilien (à gauche) et d'un diacre (à droite). L'Empereur, de hauts dignitaires de l'Église et des centaines de fidèles assistaient aux offices religieux de Sainte-Sophie. Le souverain conduisait les processions jusqu'à l'église, puis écoutait les sermons prononcés du haut de la chaire circulaire.

LES COUPOLES

Exploitant le savoir-faire des Romains en matière de construction de dômes en ciment, les architectes créèrent un énorme dôme central surbaissé soutenu par des demi-coupoles servant de contreforts*. Ces dômes étaient entourés de tous côtés par une structure extérieure d'ailes et de galeries qui permettaient d'élargir l'arche du toit afin de créer un vaste espace intérieur très ouvert.

Des fenêtres hautes laissaient entrer la lumière à tous moments de la journée comme en toutes saisons.

ACHÈVEMENT DU SANCTUAIRE

Le chantier ne dura que 5 ans seulement et les visiteurs furent stupéfaits par l'édifice. Ils décrivirent l'église « comme accrochée aux cieux par une chaîne d'or ». Sainte-Sophie devint le site magnifique des grandes cérémonies du culte de l'Église byzantine.

CHUTE DE LA CITÉ

En 557, un tremblement de terre détruisit une partie du dôme. Isidore, toujours vivant, fut en mesure de superviser les réparations. En 1453, Constantinople fut prise par les Ottomans de Turquie. Ils ajoutèrent à l'extérieur de hauts et fins minarets et changèrent les décorations intérieures afin de créer une superbe mosquée islamique.

Vue extérieure de l'actuelle Sainte-Sophie avec les minarets ajoutés par les Turcs ottomans.*

1	entrée ouest	6	demi-coupole
2	chaire circulaire	7	coupole centrale
3	sanctuaire	8	pendentif
4	galeries	9	fenêtres hautes
5	bas-côtés		

BĀRĀ-BUDUR

Le Bouddha fut un prince qui abandonna ses richesses après avoir été confronté pour la première fois à la mort, à la famine, au vieillissement et à la maladie. Par la méditation, il parvint à la « béatitude absolue » et consacra le reste de son existence à enseigner sa doctrine, base de la religion bouddhique.*

L'immense sanctuaire bouddhiste de Bārā-Budur émerge de la jungle enveloppante du centre de Java comme un escalier montant vers le ciel. Ce temple magnifique qui forme une sorte de pyramide à degrés est une représentation symbolique complexe de la vie de Bouddha.

LE BOUDDHA

Le Bouddha fut un prince indien vivant il y a environ 2 500 ans. Il enseigna à ses disciples qu'ils devaient vivre de nombreuses existences sur la Terre jusqu'à devenir suffisamment bon pour atteindre une béatitude et une liberté spirituelle parfaites appelées « Nirvāna ». Bara-Būdūr est le symbole de cette idée.

LA COLLINE SACRÉE

Vers 800 apr. J.-C., Bārā-Budur fut bâti dans l'île de Java en Asie par un roi de la puissante et riche dynastie Sailendra. Le grand sanctuaire, construit en pierre volcanique gris sombre, repose sur une petite colline qu'il recouvre. La base du monument est un carré de 121 m de côté surmonté d'une série de terrasses de tailles décroissantes qui sont reliées par quatre escaliers aux étages supérieur et inférieur.

Tout le long des terrasses, les parois sont couvertes de bas-reliefs illustrant des leçons de morale, des épisodes de la vie du Bouddha et, sur les terrasses supérieures, des scènes spirituelles.

LA FORME DE BĀRĀ-BUDUR

Le sanctuaire est inspiré par le mandala, symbole mystique bouddhiste de l'univers qui combine le carré, représentant la Terre et le cercle, représentant le Ciel. Le plan de Bārā-Budur est donc un cercle inscrit dans un carré, forme très visible vue du ciel (ci-dessous). Autour de chaque terrasse court un corridor découvert dont les murs sont habillés de sculptures ornementales. Ces sculptures illustrent tour à tour chaque stade du développement du Bouddha et de sa quête vers la perfection.

Bārā-Budur vu du ciel. L'ensemble est construit avec 57 000 mètres cubes de roche volcanique sur plus de 30 m de haut. Après l'an 1000 environ, Bārā-Budur fut abandonné. Un immense programme de restauration fut lancé en 1975 après 42 la découverte des dégâts causés par le ruissellement des eaux.

LES PÈLERINAGES

Lorsque les pèlerins visitent Bārā-Budur, ils parcourent le monument dans le sens des aiguilles d'une montre en faisant le tour de chaque terrasse avant de monter sur la suivante. Ils voient au passage toutes les sculptures. En les observant, ils apprennent la vie du Bouddha ainsi que de précieuses leçons pour atteindre la béatitude au cours de leur propre existence. Ce faisant, chaque pèlerin « vit » une existence, puis passe à la suivante. Cette lente ascension du sommet de Bārā-Budur représente les efforts que les fidèles doivent accomplir pour se perfectionner et s'élever peu à peu vers le Nirvāna.

LE NIRVĀNA

Les trois terrasses supérieures sont circulaires; Elles n'ont pas de corridors bordés de murs, mais sont au contraire ouvertes et spacieuses. Ces terrasses représentent le stade ultime de l'édification* spirituelle ou Nirvāna que les bouddhistes (fidèles du Bouddha) s'efforcent d'atteindre.

LES STÛPAS

Ces terrasses portent 72 stûpas. Généralement, les stûpas sont des dômes pleins en forme de cloches qui, à l'origine, contenaient des reliques. Mais la plupart des stûpas de Bārā-Budur

sont des dômes creux présentant l'aspect d'un tressage* de pierres à claire-voie. À l'intérieur de chaque dôme, et visible par les ouvertures, se trouve un Bouddha de pierre méditant. Un stûpa géant et plein occupe le centre de la dernière terrasse, couronnant le monument. Il représente le pinacle de l'édification bouddhiste.

Le dernier degré de Bārā-Budur est à plus de 30 m de hauteur. On y trouve, outre des stûpas en pierres imitant le tressage, des statues du Bouddha similaires à celle-ci et au dessin en coupe de la p. 42 en haut à droite.*

Pèlerins à Bārā-Budur. Chacun d'eux exécute neuf tours du monument dans le sens des aiguilles d'une montre. Le nombre 9 est symbolique pour les bouddhistes.*

43

NARA, CITÉ IMPÉRIALE

*D*e 710 à 784 apr. J.-C., Nara fut la capitale du Japon. La ville devint le centre d'un nouveau et puissant gouvernement impérial. Des idées nouvelles dans les domaines de la culture, de la mode et de la religion issues de Nara gagnèrent l'ensemble du Japon. Les visiteurs étaient si émus et si impressionnés par la beauté de la ville qu'un proverbe japonais dit : « Voir Nara et mourir ».

UNE CAPITALE IMPÉRIALE

Jusqu'au VIIe siècle apr. J.-C., les nobles du Japon détenaient la majeure partie de la puissance du pays. Mais en 645, le prince Naka-no-Oe devint empereur. Son conseiller introduisit de profonds changements. Pour la première fois, au lieu d'avoir une nouvelle capitale comme c'était le cas à chaque changement de monarque, il y aurait une cité impériale permanente : Nara.

Le Bouddha assis placé à l'intérieur du temple Tōdai-ji à Nara. La statue actuelle est une réplique plus petite de l'originale détruite par le feu.

Comme beaucoup de constructions anciennes du Japon, les temples et monastères de Nara étaient en bois. Ces bâtiments étaient si légers qu'ils risquaient moins la destruction par les tremblements de terre. En revanche, l'incendie était un risque majeur. Cette illustration montre les moines du temple Tōdai-ji essayant d'éteindre l'incendie causé par la chute de la foudre.

LA CITÉ DE NARA

Dès le début, la ville fut construite de façon à être parfaite et sa conception devait démontrer l'ordre et la puissance des lois impériales. Elle présentait l'aspect d'une grille contenant des palais, des bureaux gouvernementaux, des entrepôts, des greniers, des marchés, des temples et des pagodes (p. 44 en haut à droite). Les bâtiments étaient magnifiques avec leurs toitures débordantes et leurs sculptures décoratives. Ils rappelaient aussi les idées et les modes chinoises très en vogue à l'époque au Japon.

LE TŌDAI-JI

Le temple le plus beau de Nara était le Tōdai-ji qui contenait le daibutsuden ou grande salle du Bouddha, la plus grande construction en bois du monde. À l'origine, la salle du Bouddha était peinte en rouge. Elle renfermait le Daibutsu, un très grand Bouddha assis de 16 m de haut. Coulée en bronze, la statue pesait 550 tonnes. L'auréole entourant la statue contenait 1 000 images du Bouddha.

UN CENTRE D'ÉTUDES

Sept grands temples bouddhistes et plusieurs autres moins importants furent érigés à Nara. Outre leur fonction spirituelle, ils étaient aussi de grands centres d'études. La médecine, l'astrologie et la technologie chinoises y étaient enseignées et étudiées. Les savants adaptèrent les caractères chinois afin de réaliser le premier système d'écriture du langage parlé japonais. Des moines de Nara parcoururent tout le Japon pour y répandre les idées nouvelles.

LE TOSHODAIJI

Le moine le plus célèbre fut Chien Chen. En 742, il fut invité par l'empereur à parcourir le Japon afin d'y instruire les prêtres. Il lui fallut 11 ans pour sortir de Chine. Lorsqu'il parvint au Japon, ses enseignements révolutionnèrent le pays. La famille impériale ordonna la construction d'un monastère, le Toshodaiji, pour en faire le centre de cet enseignement.

UNE MAGNIFIQUE CITÉ

En 784, la capitale fut transférée sur le site proche de Kyoto parce que les moines, devenus trop puissants, interféraient avec le gouvernement du pays. Mais Nara demeura un important centre spirituel.

Le monastère Toshodaiji fut construit pour que Chien Chen y enseignât. Les bâtiments étaient peints en rouge, vert, bleu et or (ci-dessus). À Nara, les érudits adaptèrent les caractères chinois au langage japonais. La carte ci-dessous, qui date du VIIIᵉ siècle, montre une combinaison de caractères chinois et japonais.

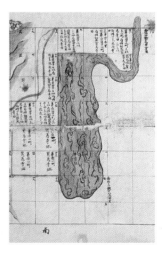

DATES CLÉS ET GLOSSAIRE

*L*es merveilles du monde antique attiraient déjà les voyageurs comme de nos jours les plus beaux sites. Avec le temps, beaucoup ont été détruites par des séismes, des incendies ou parfois même délibérément. C'est pourquoi de nombreuses dates indiquées ici sont approximatives, faute de sources précises et dignes de foi.

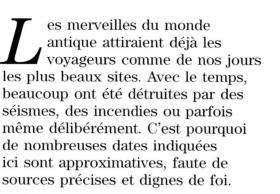

Les trois pyramides de Gizeh, de gauche à droite : la pyramide de Mykérinos, la pyramide de Khéphren et la grande pyramide de Khéops (voir aussi pp. 8-11). Le Sphinx apparaît auprès des trois tombeaux des épouses de Khéops. Au premier plan les Égyptiens irriguent leurs terres avec l'eau du Nil, le fleuve sacré.

Avant J.-C.

Env. 8000   Édification de Jéricho.

Env. 5000   Première ziggourat à Eridou.

Env. 3300   Stonehenge, centre religieux ou de cérémonies.

Env. 3000   Début des mégalithes de Carnac ; premiers habitants de Troie.

Env. 2550   Début de la construction de la grande pyramide de Khéops à Gizeh.

Env. 2100   Construction d'une ziggourat à Our.

Env. 2010   Montouhotpou II inhumé à Deir-el-Bahari.

Env. 1700   Construction du palais de Knossos.

1450   Éruption d'un volcan sur Théra (Santorin) dont la pluie de cendres incendie le palais de Knossos.

Env. 950   Construction du temple de Salomon à Jérusalem.

814   Fondation de Carthage par les Phéniciens.

776   Premiers Jeux olympiques.

605-562   Nabuchodonosor II règne sur Babylone et construit les jardins.

Env. 550   Construction du temple d'Artémis.

436   Phidias commence la statue de Zeus pour le temple d'Olympie.

Env. 350   Construction du Mausolée à Halicarnasse.

332   Alexandre le Grand fonde Alexandrie.

312   Les Nabatéens, premiers habitants de Pétra.

305   Construction du colosse de Rhodes.

280   Construction du phare d'Alexandrie.

Env. 200   Édification des premiers tumulus* de Hopewell. Création des « lignes » Nazca.

130   Première apparition de la liste des Sept Merveilles du monde d'Antipater.

Après J.-C.

70   Destruction du temple de Salomon.

80   Achèvement du Colisée à Rome.

363   Pétra ravagée par un séisme.

Env. 400   La dernière cité de Troie tombe en ruine. Premiers habitants sur l'île de Pâques.

426   Destruction du temple de Zeus à Olympie.

432   Les Mayas fondent Chichén Itzá.

462   Destruction de la statue de Zeus.

532   Construction de Sainte-Sophie à Constantinople sur ordre de l'empereur Justinien.

672 Invasion de Rhodes par les Arabes et destruction du Colosse.

Env. 698 Destruction du port de Carthage par les conquérants musulmans.

710 Nara, nouvelle capitale du Japon. Construction du temple de Tōdai-ji et du monastère de Toshodaiji.

vers 800 Construction de Bārā-Budur.

1224 Les Toltèques abandonnent Chichén Itzá.

1324 Destruction du phare d'Alexandrie.

1453 Prise de Constantinople par les Turcs ; Sainte-Sophie devient une mosquée.

1722 Découverte de l'Île de Pâques et de ses rares habitants par les Européens.

Glossaire

Arche d'alliance : coffre où les Hébreux gardaient les tables de la Loi.

Bitume : matière naturelle noirâtre et souple comme du goudron et étanche à l'eau.

Bronze (Âge du) : période succédant à l'âge de la pierre au cours de laquelle l'utilisation du bronze se répand. En Europe, cette période commence vers 1800 av. J.-C.

Contrefort : construction destinée à renforcer latéralement un mur ou un pilier.

Colosse : statue géante en grec.

Cromlech : monument mégalithique composé de menhirs disposés en cercle ou en élipse.

Édification : évolution personnelle vers la perfection spirituelle et morale.

Géométriques (formes) : figures mathématiquement définies telles que le carré, le rectangle, etc.

Isthme : étroite langue de terre entre deux étendues d'eau.

Méditation : action de penser profondément.

Mégalithe : monument de pierres géantes.

Minaret : tour élevée d'une mosquée d'où les musulmans sont appelés à la prière.

Oracle : personne, prêtre mais aussi lieu sacré où les dieux parleraient aux hommes.

Pèlerin : voyageur visitant les lieux sacrés.

Pierre (Âge de la) : époque où les hommes utilisaient des armes et des outils de pierre taillée ou polie. Il a débuté vers 1 million d'années.

Relief : scène sculptée en surépaisseur par rapport au support plat.

Scribe : personnage du monde antique dont le métier était d'écrire.

Solstice : époque de l'année où le Soleil est le plus éloigné de l'équateur.

Talent : unité de poids et monétaire utilisée dans l'Antiquité.

Thermes : établissement de bains publics.

Tressage : structure croisée alternative formant des losanges.

Tumulus : amas de pierres et de terre élevé au-dessus d'une tombe.

Citations

L'historien grec Hérodote est l'auteur de la citation de la page 10. Le texte sur Troie provient d'une traduction de l'*Iliade* d'Homère. Pausanias (p. 27) fut un écrivain voyageur grec de l'Antiquité. Philon, philosophe et écrivain, né vers 15 av. J.-C., décrivit le temple d'Artémis (p. 30). La description du colosse de Rhodes est due à Pline le Jeune, écrivain romain né en 61 apr. J.-C.

INDEX